Michel Delore

Le *Cyclo*

Sportif

PRÉPARATION ET ENTRAÎNEMENT

@mphora
tous les *sports*

Remerciements

▶ Au *Centre Médico-Sportif* (206, rue de Gerland, 69007 - Lyon). *L'équipe médicale :* Dr Roland Mathieu (médecin d'équipe cycliste professionnelle et de l'équipe de France de canoë-kayak) ; Dr Jean-Marcel Ferret (médecin de l'équipe de France de football et de l'Olympique Lyonnais) ; Robert Gauthier, physiologiste, ancien coureur cycliste de haut niveau.

▶ Au *Dr Catherine Guyot*, médecin du Tour de France, médecin de l'équipe de France féminine de cyclisme.

▶ À *Nathalie Coggio,* kinésithérapeute, diplômée d'État.

Du même auteur

▶ **Vélo pratique**

Acheter, entretenir, pratiquer, une mine de conseils et d'astuces.

▶ **Courir, du jogging au marathon**

Santé, plaisir, performance.

5 et 10 km, (semi) marathon, cross, courses en montagne, marche.

Photo de couverture : © Presse Sports

CONCEPTION ET RÉALISATION
Couverture et Intérieur : Amphora

© Éditions Amphora, avril 2000
ISBN : 2-85180-**553**-3

Prenez-vous en charge !

« L'organisme se fatigue d'autant plus qu'on fait moins de sport, et moins on fait d'exercice physique plus l'organisme s'use », affirme le corps médical. Conclusion logique : faites du vélo !

Et comme le vélo de route ou tout-terrain s'avère, de tous les sports, l'un de ceux présentant le moins de contre-indications, allez-y gaillardement.

À quelques conditions près. Ayez une méthode, à l'image de celle que nous vous proposons dans cet ouvrage.

N'étant pas « assisté » comme les pros, prenez-vous en charge en constituant votre propre équipe médicale : médecin du sport – si possible cycliste – cardiologue, kinésithérapeute, dentiste, le minimum pour que le vélo soit vraiment la santé.

Selon votre nécessité, modifiez votre style de vie : perdez du poids (ou évitez d'en prendre, l'hiver notamment), tenez compte dans votre pratique du vélo de votre âge, comme de l'ensemble de vos autres occupations, organisez votre emploi du temps afin de ne pas tout sacrifier à votre passion. Jusqu'à plus ample informé, votre patron ne vous paie pas pour faire du vélo de route ou du VTT…

Ces problèmes posés, entraînez-vous rationnellement en privilégiant la qualité sur la quantité : des kilomètres pour vous forger un cœur et des jambes d'acier, pas une boulimie de « bornes » inutiles qui vous fatiguent et nuisent à votre progression.

Apprenez à connaître vos réelles possibilités, donc à repousser vos limites grâce au test d'effort de la VO2 Max sur ergocycle, puis à l'utilisation judicieuse du Cardio-Fréquencemètre : le chapitre entier consacré aux problèmes cardio-vasculaires des cyclistes constitue une première, grâce à la collaboration d'une équipe de médecins-chercheurs, unique en Europe.

Chaque jour ou presque, en toutes saisons, entretenez votre forme grâce aux exercices d'assouplissement, à la kinésithérapie, à l'hydrothérapie comme à la pratique de sports de complément, natation et ski de fond surtout.

La défaillance relevant plus de l'ignorance ou de la négligence que de la fatalité, supprimez les causes d'insuccès. Mettez toutes les chances de votre côté en déjouant les multiples pièges : accidents, blessures, maladies, anémies dues au surentraînement et (ou) à une alimentation carencée.

Alors seulement vous pourrez vous tester, parfois sans sortir de chez vous. En attendant de savourer sur le terrain, pédales aux pieds, les progrès accomplis. Si vous avez prêté attention aux sept chapitres de cet ouvrage…

Sommaire

Chapitre V   **Pour réussir, que boire ?
Que manger ?** **133**

Chapitre VI — **Bobos, accidents : déjouez les pièges** **157**

Chapitre VII — **Et maintenant testez-vous !** **195**

Chapitre *I*

Entraînement :
repoussez vos limites

1. PERSONNALISEZ VOTRE ENTRAÎNEMENT

▶ Les clés de la réussite

La leçon à tirer de l'amélioration constante des performances sportives, en particulier dans le vélo de route et tout-terrain, est que l'on a longtemps sous-estimé les possibilités de l'être humain. Avec l'amélioration considérable du matériel et du revêtement des routes, les progrès ne se sont pas fait attendre. Encore doit-on souligner que le cyclisme étant un sport essentiellement européen, et avant tout latin, il manque dans l'approche des méthodes de préparation spécifique, l'apport des pays anglophones et scandinaves que l'on retrouve dans d'autres sports d'endurance (l'athlétisme, par exemple). En course à pied, le demi-fond et le marathon bénéficient d'innombrables publications, recherches, expériences scientifiques réalisées Outre-Atlantique, en Australie comme en Scandinavie. Rien de tel dans le vélo, où les « mésaventures » de certains coureurs professionnels sont là pour nous montrer que le charlatanisme et autres « recettes » condamnables se rencontrent plus dans le haut niveau que chez les néophytes du dimanche.

Les paragraphes 7 et 8 du chapitre III vous donneront les grandes lignes de votre futur programme.

▶ Échauffement

Débutez-le par un éveil progressif du système musculaire : sautillements sur place, moulinets des bras, flexions talons-fesses (15 à 20), étirements (les animaux domestiques, chiens et chats, le font d'instinct), quelques minutes de jogging. Une fois sur le vélo, les cyclotouristes se contenteront de partir doucement, sur le second plateau (parfois le troisième en VTT), puisqu'ils ne sont pas là pour faire la course... Les cyclosportifs et les coureurs auront intérêt à aller rouler 15 à 30 minutes sur le second plateau, à moins d'arriver en vélo au départ (la meilleure formule). Une petite précision : tout au long de cet ouvrage, vous lirez « en vélo » et non pas « à vélo » ; renseignement pris auprès de spécialistes en bon Français, « à » est réservé aux moyens de locomotion naturels, « en » étant destiné aux moyens mécaniques mis au point par l'être humain.

▶ Retour au calme

C'est la poursuite modérée de l'exercice physique en vue du repos. L'organisme déteste les arrêts trop brusques : le cœur en particulier. Allez rouler quelques minutes une fois la ligne d'arrivée franchie ou marchez ; évitez surtout de vous asseoir 30 secondes après être descendu de vélo. Une remarque guère valable si vous terminez « à la ramasse », « les bras en croix », à 10 km/h. Dans tous les cas, des étirements/assouplissements sont indispensables pour éviter courbatures voire crampes : vos muscles, surtout ceux des membres inférieurs, ont suffisamment travaillé en compression, il faut maintenant les remettre en place.

▶ Endurance - résistance

Le chapitre III analyse plus en détail l'endurance et la résistance. Mais d'ores et déjà vous devez distinguer entre les deux :

– **Endurance,** effort physique lent mais (plus ou moins) long, fréquence cardiaque lente (60 à 80 % du maximum), essoufflement faible (vous devez, après un minimum d'entraînement, arriver à discuter sans peine avec une personne pédalant à vos côtés). C'est un effort en aérobie : peu de production d'acide lactique.

– **Résistance,** rythme plus rapide, celui d'une compétition ou d'un brevet rondement mené. On distingue :

– **Résistance douce** : rythme d'une épreuve de longue distance (80 à 88 % de la FC max, la fréquence cardiaque maximale).

– **Résistance dure** : rythme d'une épreuve de courte distance (au-delà des 88 %). À partir d'un certain niveau (85 à 90 % environ), notre capacité maximale d'utilisation de l'oxygène est dépassée (cas d'une course de vitesse prolongée quand le rythme n'est plus soutenable). On se trouve alors en « **anaérobie** » : celle-ci représentera au maximum 1/4 de votre kilométrage hebdomadaire. Au retour, une douche ou un bain chaud faciliteront la circulation sanguine, favorisant l'élimination de l'acide lactique.

❱ Faites les bons choix

– **Ne cherchez pas à imiter les pros,** leurs problèmes sont totalement différents des nôtres, et les conseils qu'ils donnent dans certains articles de magazines correspondent rarement aux préoccupations des cyclosportifs, encore moins des cyclotouristes.

– **Touristes ou Sportifs,** limitez vos « grands » objectifs à trois ou quatre « sommets » dans la saison, suffisamment espacés (de deux à quatre semaines), afin de pouvoir récupérer après le premier ; des épreuves, des brevets, des raids, oui, mais aussi de la détente, de la décontraction, de la balade en famille et avec les copains.

– **Subdivisez votre saison en « cycles de préparation »** : exemple, deux semaines intensives, une semaine de relâchement ; puis, tenant compte des progrès enregistrés (ou au contraire de la baisse de forme), faites-en plus (ou moins) que prévu initialement. Si vous augmentez kilométrage et intensité, faites-le très progressivement.

– **La meilleure préparation à la compétition est la compétition elle-même,** à condition de ne pas en abuser et d'arriver au départ avec un entraînement foncier important (quelques semaines d'entraînement en endurance).

Les premières épreuves serviront de mise au point pour les principaux rendez-vous à venir, une méthode valable également pour les cyclotouristes préparant de grands brevets (montagne, longues distances) : leurs distances augmenteront progressivement.

– **Ménagez-vous des périodes de (semi) repos** : sans épreuve à venir dans l'immédiat, profitez-en pour travailler vos points faibles : endurance, changements de rythme, vélocité, ascensions, appréhension en descente (bien négocier les courbes, ne plus avoir peur du précipice sur la droite de la route ou du chemin…).

– **En matière de compétitions et de brevets,** débutez la saison par les distances courtes, non l'inverse comme le font beaucoup. Tenez compte de vos possibilités sur diverses distances (50-100-150 km) et reliefs. But : sentir à tout moment en cours de préparation ou de compétition jusqu'où vous ne devez pas aller pour ne pas dilapider vos chances de performances. Cherchez à utiliser le braquet et la position sur le vélo les plus rentables et les moins éprouvants.

– **L'intensité sera différente selon votre spécialité** : cyclosportive, vélosportive, cyclotourisme (où les arrêts sont fréquents et libres puisqu'il n'y a pas de classement ni de chronométrage, ce qui constitue d'excellentes phases de récupération). Pour débutants et vétérans, peu de différence entre l'allure d'endurance et celle des épreuves : ils n'ont pas (ou plus) les moyens de se faire mal ; du coup, certains vétérans peuvent plus facilement que les jeunes aligner chaque dimanche des participations à des épreuves relativement longues. Encore faut-il tenir compte ici que nombre de personnes ne disposent d'aucun loisir en semaine pour aller rouler : la (longue) distance dominicale est la seule qu'ils peuvent effectuer, avec repos (sportif du moins) durant toute la semaine.

– **Alternez sorties d'endurance et de résistance :** mais pas deux sorties en vélo éprouvantes (rapides ou très longues, voire les deux ensemble !) l'une à la suite de l'autre et sans un ou deux jours de repos.

– **En période d'entraînement,** la sortie la plus longue sera de 40 à 50 % du total de la semaine, un total à accroître de 10 % par semaine au printemps.

– **Faut-il se surpasser pour surperformer ?** Savoir se surpasser, oui, mais comment sans se « claquer » ? L'alpiniste René Desmaison a pu dire : « C'est le travail qu'on fait quand on est fatigué qui fait progresser ». Au-delà des ultimes ressources, il reste une zone inexplorée qui fait que le sportif, à la limite de ses forces, découvre de lui-même la façon la plus économique de continuer à avancer. À partir d'un certain niveau de fatigue (travail en durée ou en intensité, ou les deux ensemble), c'est à cet instant peut-être qu'on progresse le plus. Tout l'art est de savoir discerner ce moment de celui du niveau de surentraînement où il devient impératif de descendre de vélo pour se reposer quelque temps. Une certitude : on ne progresse pas dans la facilité. Le cardio-fréquencemètre vous aidera à percevoir le niveau à ne pas dépasser, mais ce n'est pas le seul moyen d'y arriver : vos sensations personnelles comptent pour beaucoup.

Peu à peu, vous serez étonné du progrès de votre état physique et de vos (nouvelles) possibilités. Mais l'entraînement demeure individuel, et vous roulez autant avec votre tête qu'avec vos bras et jambes.

▶ Vaut-il mieux rouler matin ou après-midi ?

• *Matin*

Cela dépend de votre emploi du temps et de la saison (nuit en hiver, outre brouillard, brume, verglas…).

Pour une courte sortie (moins de 90 minutes), vous pouvez partir à jeun (ou presque) avec une tasse de café : c'est excellent pour brûler les calories inutiles, donc perdre du poids. Sinon, au café ou thé, ajoutez quelques tartines, à moins de remplacer le tout par un bon potage de légumes fait à la maison. De toute façon, la ration de sucres lents absorbée la veille au soir conditionne la réussite de votre entraînement matinal. Emmenez (surtout si vous roulez plus de 90 minutes) quelques barres énergétiques et un bidon d'eau ou de boisson glucidique.

Au retour, mangez selon votre faim, douchez-vous, étirez-vous.

Si l'entraînement (ou la balade) n'a pas été épuisant, vous allez être en forme et de bonne humeur toute la journée…

• *Milieu de journée*

La pause déjeuner est sacrifiée. Vous faites sauter le repas pour aller pédaler. Pour le retour, prévoyez sandwich, fruits, boisson reconstituante (chaude par temps frais, parfois même en été, car c'est plus tonique).

Ne vous épuisez pas, considérant qu'il vous reste plusieurs heures de travail et que vous n'avez sûrement ni le temps ni la possibilité de vous doucher. Changez-vous. Durée : 60 à 90 minutes sur un itinéraire facile, compte tenu de l'obligation de revenir rapidement à votre travail.

En automne ou en fin d'hiver, profitez ainsi de l'éclaircie de la mi-journée.

• *Après-midi*

L'idéal quand les journées sont déjà longues et pas trop chaudes, au printemps par exemple. Prenez le repas de midi plus tôt et plus léger qu'à l'habitude (sucres lents surtout). Prévoyez des barres énergétiques et un bidon. Organisez-vous pour rentrer avant la nuit, à moins de faire comme ces cyclos qui ont déniché une zone industrielle éclairée toute la nuit et désertée à partir de 17 heures par tous ceux qui y travaillent : ils disposent ainsi d'un circuit plat de deux kilomètres dans le sens des aiguilles d'une montre (absence de circulation, donc de danger).

2 - ENDURANCE ET LONGUES DISTANCES

L'endurance est l'entraînement à vitesse lente sur une longue période : mais la vitesse dépend du niveau d'entraînement ; un cyclotouriste roulera à 20 km/h, un professionnel à 35 km/h.

L'endurance est à la base de l'entraînement dans tous les sports afin de développer progressivement, lentement mais sûrement, l'ensemble des qualités athlétiques indispensables, notamment le système cardio-vasculaire.

L'endurance donne un cœur tonique, en comparaison du cœur forcé de celui ou celle qui met trop l'accent sur la vitesse (la résistance) : en ce cas, on met la charrue avant les bœufs.

L'exercice peut sembler rébarbatif, à la manière du pianiste qui fait ses gammes : pédaler, toujours pédaler à petite vitesse ; mais le solfège n'est-il pas à la base de la musique ? 80 % au moins de l'entraînement doit être consacré à l'endurance. Que les amateurs de vitesse se rassurent : consacrer les 10 ou 20 % restant à pédaler sur le gros braquet (ou à mouliner très vite, à 100 tours ou plus avec un petit braquet) les laissera « sur la jante » en peu de temps.

Rien n'empêche d'effectuer les sorties d'endurance sur des parcours sans cesse variés, vallonnés, avec de petites accélérations en danseuse sur la fin des « bosses » . Et si le paysage s'y prête, vous louerez le ciel de disposer de suffisamment de temps pour vous offrir **de longues balades dans la nature, tout en vous forgeant une musculature d'acier.**

L'endurance concerne tous les sports. Le joueur de football qui, après avoir traversé en courant une grande partie du terrain, perd ses moyens physiques à l'approche du but, manque d'endurance. Le skieur alpin qui n'arrive pas à tenir les deux minutes d'une descente et le coureur à pied qui s'effondre au 90e mètre d'un 100 mètres, manquent tous d'endurance. En vélo, nous avons moins d'excuses si nous manquons d'endurance : le fait d'être assis (ou posé) sur la selle, de pouvoir cesser de pédaler même sur le plat, permet d'aller plus loin que dans tout autre sport, plus longtemps au cours d'une même journée et même de maintenir un tel effort plusieurs jours de suite.

Alors osons affronter les longues distances !

◗ Ne pas confondre « endurance » et « heures de selle » !

C'est un point sur lequel nous insistons au cours du chapitre III : s'il est indispensable de s'habituer à rester longtemps en selle afin de pouvoir tenir sur une épreuve de 150, 200 km ou plus, la véritable endurance s'obtient essentiellement avec un rythme de pédalage rapide (aux alentours de 100 tours/minute), difficile à tenir (au moins pour un « cyclo ») au-delà de quelques dizaines de kilomètres.

Rouler des heures durant à 15/20 km/h vous habitue à la position très particulière sur le vélo (en particulier pour la moitié supérieure du corps), mais ne développe guère votre système cardio-vasculaire comme le fait le véritable travail en endurance présenté au chapitre III. Les kilomètres n'ont donc pas tous la même valeur, d'autant qu'il faut également faire entrer en ligne de compte le relief, les intempéries, le fait de rouler seul face au vent ou porté par lui, ou en se relayant avec des partenaires qui vous abritent, vous permettant de pédaler avec moins d'efforts. Reportez-vous page 207 (table des braquets et des vitesses à cadence 100 t/mn).

▶ Le cardio-fréquencemètre vous aidera à trouver le bon rythme et le bon braquet

Le CFM permet de trouver la bonne « fourchette » : la fréquence cardiaque minimale pour progresser, la maximale à ne pas dépasser en aérobie. Aussi est-il préférable, au début, de vous entraîner seul pour effectuer une mise au point de ces divers paramètres. Ensuite, vous pourrez sortir avec un ou plusieurs partenaires de niveau voisin. Rouler à deux ou plus est sympathique, agréable, utile pour la technique (prise de relais notamment); mais à l'entraînement, le risque est grand d'avoir à vous aligner sur le rythme du plus fort, donc de fausser votre progression. Pour deux personnes qui, pour un même effort, enregistrent 110 et 140 pulsations chacune, l'entraînement n'est pas forcément le même.

▶ Musculature : mouliner longtemps ne suffit pas

Vous vous éviterez des heures de pédalage, donc des kilomètres inutiles (surtout à la mauvaise saison), en renforçant votre musculature par des exercices spécifiques : abdominaux, trapèzes, quadris, lombaires entre autres. D'autant que si pour une cyclosportive devant durer entre 6 et 8 heures de vélo, il est utile d'avoir préalablement effectué deux ou trois sorties de même durée, sur des distances supérieures (250-300 km), cela n'est ni utile ni conseillé; personnellement, nous sommes allés jusqu'à 600 km (en 20 heures) sans avoir auparavant pédalé plus de 250 km. Au-delà d'une certaine distance (et durée), il faut compter sur la condition physique (et la volonté !).

▶ À grandes distances grandes douleurs ?

Parfois oui ! Mais c'est le prix à payer pour la satisfaction d'avoir bousculé ses limites.

• *Habituez-vous donc :*
- **au rythme de l'endurance** (rapide, mais avec petits braquets),
- **aux douleurs cervicales**, lombaires et des trapèzes,
- **à l'échauffement de la voûte plantaire** (vous reporter au chapitre VI),
- **aux diverses intempéries**, surtout le soleil et la chaleur (crème, casquette, eau aspergée sur le visage et les jambes, vêtements légers et clairs),
- **à vous alimenter sur le vélo** (nourriture liquide et aliments solides emballés en petits morceaux découpés) ; avant l'épreuve de longue distance, informez-vous sur le nombre de ravitaillements et leur emplacement afin de savoir ce qu'il faut emmener comme complément. Un apport en potassium, magnésium, sodium peut être utile (anti-crampes),
- **à votre matériel** (tout essayer avant, notamment le petit garde-boue arrière utile en cas de pluie constante, pneus ou boyaux plus larges, réglages corrects selle/guidon),
- **à votre alimentation avant l'épreuve** (l'organisme brûle ses acides gras tout en conservant ses réserves d'hydrates de carbone le plus longtemps possible, donc nécessité de faire des réserves importantes de sucres lents avant le départ, surtout la veille et l'avant-veille, puis sucres rapides en cours d'épreuve ou de sortie longue).
- **pour les raids de nuit,** partir en fin de soirée (21 heures) plutôt que vous lever à 3 heures du matin, au risque de gâcher votre nuit. Si le sommeil vous guette lors d'un raid, n'attendez pas de vous endormir sur le vélo et de chuter (c'est arrivé !).

▶ Le travail spécifique d'endurance

Il est la cause d'une diminution des autres qualités musculaires (vitesse, détente), travaillez donc aussi la vitesse comme on va le voir maintenant, d'autant que vous prendrez certainement part à des épreuves plus courtes (100 km et moins), les « vélosportives ».

3 - RÉSISTANCE NE SIGNIFIE PAS FORCÉMENT GROS BRAQUETS

L'entraînement en résistance (vitesse à plus de 80 % de la FC Max) avec fractionné, sprints répétés, **ne peut valablement exister que si l'entraînement en endurance est maintenu**. À l'exception des personnes très entraînées, évitez plus d'une sortie en résistance par semaine, ou contentez-vous de trois par quinzaine, ce qui n'exclut point des fins de parcours rapides, au rythme de course, sur quelques kilomètres lors d'une sortie en endurance : on termine sur une bonne impression.

▶ À (trop) gros braquets, grosses contre-performances

Évitez l'entraînement en résistance deux jours de suite : vous risquez de ne pas avoir récupéré lors du second, accumulant ainsi fatigue sur fatigue.

Ne faites pas comme ces compagnons de route avec lesquels nous avons cessé un jour de sortir. À peine juchés sur leur vélo, ils arboraient fièrement leur 52/14 dès le début de l'échauffement, nous traitant de « cyclotouriste » (sans doute une grosse injure dans leur esprit...) sous prétexte que nous moulinions un 42/16 ou 42/18. Ils continuaient ainsi avec leur gros braquet la majeure partie du temps, expliquant qu'en « mettant petit » ils s'essoufflaient beaucoup trop, puisqu'il fallait tourner les jambes plus vite.

Nous leur expliquions, en vain, qu'il fallait justement procéder ainsi pour progresser. Comme nous les suivions sans peine en moulinant (à grande vitesse) à partir du second plateau, ils auraient pu se poser quelques questions sur leur façon de faire, d'autant que nous n'étions pas plus essoufflés qu'eux.

Jusqu'au jour où, faisant équipe dans un Gentlemen avec le plus acharné d'entre eux à « emmener gros » tout le long, celui-ci se révéla incapable de nous suivre dès lors que nous enroulâmes sans peine le 53/13. Il en fut ainsi sur une dizaine de kilomètres de plat où, sur ce braquet, nous ne fûmes que rarement relayés, perdant l'une des premières places.

Moralité : si vous envisagez de mettre gros, commencez, à l'entraî-nement, par mettre petit !

▶ Vélocité d'abord !

Le travail en résistance commence **aux alentours de 140 pulsations** (ou BPM, battements par minute). Roulez vite, quand c'est le moment, mais privilégiez la vélocité, faites tourner les jambes très vite **pour améliorer votre système cardio-vasculaire et la puissance musculaire de vos membres inférieurs** ; en améliorant le souffle, per-fectionnez votre style qui doit devenir le plus économique possible.

- ### *Fractionnez vos efforts*

Après échauffement, débutez par un effort continu sur 20 à 50 minutes en résistance douce. Poursuivez avec de courtes fractions (5 à 12 minutes) en résistance dure, entrecoupées de 3 à 5 minutes de récupération à allure lente. Finissez avec des fractions de 1 à 3 minutes, avec une minute de récupération entre elles.

- ### *Changez fréquemment de parcours*

Mais revenez périodiquement sur le même afin de mesurer vos pro-grès (chrono réalisé, BPM enregistrés). Au fur et à mesure de vos progrès, augmentez l'allure, très progressivement.

- ### *La résistance dure (à effectuer sur de courtes distances)*

C'est le rythme que vous devriez tenir lors d'une vélosportive de courte distance. Faites-la suivre par un parcours à petite allure, en endurance. Terminez une séance de résistance dure avec la sensation que vous pourriez encore effectuer d'autres fractions au même ryth-me : vous êtes un sage, vous en avez gardé sous la pédale. Vous êtes sur la bonne voie.

- ### *La bonne méthode :*
  – endurance 80 %,
  – résistance douce 12 à 15 %,
  – résistance dure 5 à 8 %.

• *Programmation des épreuves :*

De mai à juillet inclus, pas plus de deux cyclosportives par mois et en semaine 2 x 50 km (décrassage, sans forcer, seulement les deux ou trois derniers kilomètres au train) ; éventuellement le dimanche, une vélosportive courte (grimpée en ligne ou contre-la-montre, sur le plat pas plus de 50 km sans jouer la place), ou alors sortie de 90 minutes, rythmée (résistance douce). Sortie de mise en jambes (50 minutes de plat sur petit plateau) la veille de la cyclosportive. Avec un capital/kilomètres suffisant de janvier à avril, inutile d'en rajouter entre mai et juillet, période des grands rendez-vous, d'ailleurs chacune des épreuves (longue ou courte) vous préparera à la suivante si vous suivez une progression logique (commencez par la « montagne à vaches » avant de vous attaquer à la « montagne à marmott es »). À cette époque vous n'avez plus le temps de vous entraîner long et dur, tout en prenant part à des épreuves… éprouvantes. En semaine, récupérez : mardi, sortie facile ; jeudi, sortie plus rapide en travaillant vos points faibles (par exemple : accélérations sur 200 m plats ou sur la fin d'une côte, deux ou trois fois, pas plus).

4 - LES VÉLOSPORTIVES

En début de saison, il faut également **soigner l'endurance de base** pour tenir la distance, mais les sorties courtes sont plus rythmées. Sorties les plus longues : pas plus de 100 à 120 km. Sorties avec des membres du club ou d'autres personnes de niveau voisin du vôtre : roulez au train, prenez des relais fréquents (pas plus de 200 à 300 m en tête), enlevez les bosses à allure très soutenue (bien les finir, jusqu'en haut, relancer le rythme dès le début de la descente, quitte à ne pas insister ensuite afin de vous reposer), privilégiez les itinéraires types « montagnes russes » avec virages obligeant à ralentir puis accélérer, soignez les changements de rythme, éventuellement roulez des fractions de 5 km derrière cyclomoteur. Dernière séance en résistance dure le jeudi, si la compétition se déroule le dimanche.

Le samedi matin, effectuez une sortie de mise en jambes, le lundi (lendemain de compétition) une de décrassage (ou alors natation) en décontraction avant de renouer avec la résistance dure, le mercredi ou le jeudi. Mais le rythme ne sera pas le même si vous prenez part le dimanche suivant à une nouvelle épreuve ou si au contraire, vous vous « reposez » (en ce cas, entraînement à allure soutenue seulement).

Enfin, ne vous laissez pas surprendre par le rythme et la distance des épreuves : souvent, chez les cyclos, c'est très dur devant, car on se retrouve un tout petit nombre pour relayer (certains ne savent même pas comment le faire correctement), alors que chez les amateurs, un peloton de plusieurs dizaines d'unités mène la danse.

5 - CONTRE-LA-MONTRE ET « GENTLEMEN »

En cyclosport, les épreuves individuelles se déroulent souvent en côte, voire carrément en montagne (ascension d'un col de bout en bout). Comme pour les véritables compétitions, les cyclistes puissants, capables de départs rapides puis d'un rythme soutenu avec de gros braquets, sont favoris ; régularité dans l'effort et puissance musculaire, les deux qualités fondamentales pour réussir, peuvent se travailler. Et, comme on a rarement 50 ou 60 km de contre-la-montre plat en cyclosport, les grimpeurs « ailés » , les petits gabarits légers peuvent se faire plaisir à tout coup.

Dans le « CLM » , vous apprendrez vite à rouler de façon plus aérodynamique, à relancer sans cesse l'allure (debout sur les pédales) dès que celle-ci faiblit, ou à la sortie d'un virage.

Ce sera (peut-être) le moment de constater que votre vélo n'est pas à vos cotes, et de regretter un cadre taillé sur mesure. Et avec la selle trop sortie, vous avez mal derrière le genou, pas assez sortie, vous souffrez de douleurs dans le genou.

Vous apprendrez à prendre un virage dans les règles de l'art, sans chercher à trop serrer à la corde (risque de crevaison et de dérapage si vous vous penchez beaucoup à grande vitesse) ni à couper du côté gauche de la route (au risque de trouver une voiture ou une moto arrivant en face de vous).

• L'échauffement est capital

En peloton, vous pouvez espérer « prendre les bonnes roues » un certain temps, en guise d'échauffement, mais en CLM il faut être opérationnel dès les premiers mètres. Arrivez en vélo (faites conduire votre voiture par une autre personne) avec un pédalage souple (petit plateau à 70-80 tours/minute) sur 10 à 15 km. Terminez (quelques minutes avant le départ) en continuant à rouler plusieurs kilomètres sur la route avec (progressivement) les braquets de compétition, puis quelques accélérations (sans forcer). Ou alors pédalez sur vélo statique (arrêt quelques minutes avant le départ) : une méthode plus précise car vous êtes sûr de faire monter les pulsations jusqu'au seuil aérobie/anaérobie (mais pas au-dessus, afin de ne pas vous mettre « dans le rouge », c'est-à-dire fabriquer plus d'acide lactique que vous ne pouvez en recycler).

Avant le départ, ajoutez quelques étirements des quadriceps et des ischio-jambiers, des moulinets de bras et des flexions talons-fesses (une vingtaine à bon rythme).

Rien ne vous empêche, sauf les trois derniers jours avant l'épreuve, de vous entraîner **à rouler « à bloc »** sur une côte de plusieurs kilomètres ou une portion de plat équivalente, autorisant l'utilisation d'un gros braquet, afin de vous y habituer.

Mais, comme souligné par ailleurs, on ne s'habitue pas à emmener de gros braquets en roulant trop souvent avec eux, mais en travaillant sa « résistance dure » sur des portions de route enlevées à 100 tours/minute (ou plus) avec des braquets plus modestes (parfois avec le second plateau).

Reste le vélo, qui sera léger certes, mais rigide avant tout, afin de résister aux mouvements de flexion et de torsion qui vont lui être imposés. Rigidité du cadre donc (pas de tube d'acier en 3 ou 4/10 mm d'épaisseur), gonflage maximum des pneus ou boyaux (entre 7 et 8 kg), cadre court (surtout en grimpée), roues à rayons plats et jantes « aéro » à moins de disposer de jantes à bâtons (si vous cassez la tire-lire ou si on vous les prête), manivelles de 170 à 172,5 mm (plus longues, elles n'offrent pas autant d'avantages qu'on l'entend dire parfois : les records de l'heure se battent avec des… 170 mm, puisqu'il faut miser plus sur la vélocité du coup de pédale que sur la force).

• **_Les « gentlemen »_**

En fin de saison, généralement à l'automne, elles rassemblent le plus souvent un coureur (pro ou amateur) avec un cyclosportif (ou cyclotouriste) ; mais on rencontre des équipes de deux cyclos, des couples, un père avec son fils ou sa fille. Les niveaux sont très différents, sauf s'il s'agit de deux cyclos (très entraînés, cela peut faire mal !).

Une préparation individuelle identique à celle du CLM est indispensable pour une meilleure réussite, mais il existe une préparation spécifique :

– apprendre à bien se connaître,

– enrouler le même braquet au même rythme,

– rouler sans à-coups, roue dans roue à un mètre de distance (le second légèrement décalé pour ne pas toucher le pneu ou boyau du premier),

– obéir aux instructions du « pilote » qui, à l'avant, est le premier à voir surgir les obstacles et sent mieux quand l'allure commence à faiblir.

Trois ou quatre semaines ne sont pas de trop pour effectuer un entraînement sérieux, surtout au niveau des relais ; ceux-ci et la qualité de l'abri sont plus importants encore que l'allure. On rencontre des « gentlemen » qui, individuellement roulent très fort, mais qui, faute de travailler leur technique, végètent chaque année dans les profondeurs du classement.

6 - CYCLOTOURISME : RALLYES, BALADES, RANDONNÉES

La mentalité, les buts ne sont pas les mêmes que ceux du cyclosport. Les personnes n'ayant pas le chrono pour préoccupation, méritent tout autant le respect que les autres. Professionnels et amateurs de haut niveau ne sont d'ailleurs pas les derniers à saluer le courage de ceux et celles qui affrontent intempéries et reliefs ardus juste pour le plaisir de faire du vélo. Quant aux cyclosportifs, s'ils veulent mériter le respect de la part des cyclotouristes et des pros, il importe qu'ils sachent relativiser leurs performances et ne pas trop se prendre au sérieux...

En matière de cyclotourisme, **il importe aussi de préciser de quoi il s'agit :** un rallye cyclotouriste ne doit pas servir de couverture à une « coursette » ; il est moins choquant en revanche, de voir un cyclotouriste s'aligner dans une « cyclosportive », juste pour se balader, sans souci du chrono.

D'autre part, la différence est souvent mince entre la personne qui se prépare pour un brevet cyclotouriste de 200 km (sans classement ni chronométrage, avec médaille et diplôme identiques pour tous les arrivants quel que soit le temps réalisé, dans un certain délai, large,toutefois), et celle qui se prépare pour une « cyclosportive » de distance équivalente, sans vraiment briguer une performance.

Pour les balades tranquilles, sur de courtes distances (30 à 80 km), les problèmes d'entraînement, de préparation physique, ne se posent guère : on vient pour se délasser après une bonne semaine de travail ou pour égayer sa semaine de retraité.

Sur une distance supérieure, même en roulant à 20 km/h (et moins en côte), avec de multiples arrêts pour admirer panoramas et petites églises, une journée complète en plein air pose des problèmes « d'accoutumance à l'effort », pour ne pas prononcer le mot « entraînement » que n'aiment pas les purs du cyclotourisme. La difficulté s'accroît si l'on songe que les cyclotouristes, les vrais, prennent part fréquemment à des randonnées de plusieurs jours, semi-itinérantes (retour chaque soir au lieu de départ pour y passer la nuit) ou itinérantes (par étapes).

Autre caractéristique du vrai cyclotouriste : l'autonomie, l'absence de voitures suiveuses grâce à un sac de guidon ou un sac à dos, voire des sacoches latérales pour les voyages en vélo, outre l'absence (le plus souvent) de maillots publicitaires.

Individuellement ou en groupe, insistons sur :
– la nécessité d'une visite médicale annuelle de sécurité,

– un contrôle cardio-vasculaire (test de Ruffier-Dickson et surtout électrocardiogramme d'effort après 40 ans, et même avant),
– une hygiène de vie d'autant plus surveillée que les brevets, rallyes, raids sont nombreux et difficiles (montagne, par exemple),
– une préparation très progressive aux longues distances, avec des phases de repos (deux ou trois semaines entre chaque longue distance),
– des premiers kilomètres à allure lente (servant d'échauffement, surtout le matin « à la fraîche »).

En groupe, **l'éventuel « capitaine de route »** aura un rôle important afin de freiner les personnes trop pressées d'arriver : régler l'allure, avertir des dangers, faire attendre les lâchés, provoquer un arrêt collectif en cas de crevaison d'un participant…

Enfin, les organisateurs de brevets de longue distance seraient bien inspirés lors de l'inscription (on ne dit pas « engagement », terme réservé à la compétition) d'exiger que chacun prouve avoir déjà terminé un ou deux brevets de 100 à 150 km. Il nous arrive de voir en queue de peloton, des personnes qui se sont aventurées là sans se douter de ce qui les attendait : épuisées dès les premières pentes, grimpant les cols à pied, sans bidon ni imperméable, ignorant tout de la nécessité de s'alimenter en glucides durant l'effort.

Autant dire que bien des pages de notre ouvrage concernent les néophytes du cyclotourisme : suivi médical, soins, assouplissements/étirements, diététique, sports de complément.

7 - AUTOMNE HIVER : SOYEZ TONIQUES

Votre repos a tout intérêt à être « actif », sinon les paramètres de votre condition physique vont baisser, votre poids augmenter, votre moral en prendre un sacré coup à force de ne rien faire sur le plan sportif.

❱ Il était temps de décompresser

Cela n'exclut pas de vous adonner à de petites compétitions sans prétentions : depuis le cyclo-cross jusqu'au ski de fond, en passant par le jogging, le roller, le ski-roues, la randonnée pédestre ou en raquettes.

Effectuez votre bilan médical annuel (chapitre II).

Recyclez votre matériel, perfectionnez votre vélo, changez-le si nécessaire.

Étudiez la saison à venir : dates, lieux des déplacements, temps forts à sélectionner car la grande forme ne durera pas six mois : cela vous meublera les longues soirées d'hiver.

Dormez plus, accordez-vous des temps de repos (siestes, surtout après la douche ou le bain).

Oxygénez-vous en vous rendant à la campagne, ou au moins dans un parc public, pour pratiquer une activité sportive.

Renforcez vos points faibles par de la culture physique (abdos, trapèzes, quadris, lombaires, etc.) et des assouplissements.

Accordez une large place aux soins : natation, massages généraux.

N'hésitez pas à affronter les intempéries hivernales : cela renforce les moyens de défense de l'organisme ; rester tout le temps au coin du feu les affaiblit.

Mais protégez vos jambes, quel que soit l'exercice de plein air pratiqué (port d'un collant).

Protégez le haut du corps avec des tissus techniques et un bonnet.

Mangez un peu plus gras, plus de beurre que l'été (tartines), plus de lait et de fromage, d'huile végétale (trois cuillerées à soupe/jour dans les plats, salade par exemple), de fruits secs, de vitamine C, moins de glucides.

Lors de vos sorties en marche, jogging, ski de fond, ayez sur vous une ceinture avec un bidon cycliste de thé chaud, l'air est d'autant plus sec qu'il fait froid.

Pour le ski de fond (ou de randonnée), prenez quelques leçons afin de vous initier à la technique, soit du ski « alternatif » (dit aussi « classique »), soit du « skating » (le pas du patineur comme en roller). Selon la spécialité, skis, bâtons, chaussures sont différents. Collants et maillots cyclistes hivernaux conviennent pour le fond.

Ne skiez pas plus d'une demi-journée à la fois, le reste étant dévolu au repos, sinon vous ne tiendrez pas plusieurs jours, ou alors votre « stage » vous épuisera.

Échauffez-vous, travaillez la technique de glisse, les montées, le freinage en descente (excellent pour les quadris avec le mouvement du chasse-neige).

Enchaînez avec le minimum d'arrêts une piste courte (5 km), reposez-vous quelques minutes sans enlever les skis (buvez grâce à un bidon cycliste monté sur ceinture spéciale), achevez la séance par une piste plus longue (8 à 10 km) mais sans trop de difficultés (pas de « piste noire »). Le cardio-fréquencemètre vous évitera le travail au-dessus du seuil aérobie/anaérobie, mais restez-en tout proche. Le travail cardio-vasculaire sera excellent sans grandes courbatures (mais méfiez-vous, la fatigue est tout de même là!).

Le VTT est une alternative. Vous aurez moins froid qu'en vélo de route, surtout en forêt où vous vous sentirez protégé, comme en ski de fond d'ailleurs. On change totalement de cadre, loin de la circulation et des dangers. Travaillez votre adresse sur le vélo (port du casque et de gants obligatoire). Attention souvent les kilomètres comptent double ou triple en comparaison de la route : le VTT constitue alors un travail en résistance à manier avec précaution.

▶ Faut-il arrêter totalement le vélo ? Les sports de complément

Dans les pays chauds, méditerranéens notamment, la question est sans objet : on roule toute l'année!

Ailleurs, les cyclos ont longtemps imité les pros, ignorant qu'après 35 000 ou 40 000 km de vélo à fond la caisse, les pros ont quelque excuse de vouloir se changer les idées.

Sportifs ou touristes, il est préférable de ne pas arrêter le vélo en automne/hiver, seulement **d'en ralentir la pratique** en gardant une sortie hebdomadaire (sauf par trop mauvais temps où le vélo sera monté sur rouleaux). Cela vous évitera de devoir cravacher dès le

2 janvier pour rattraper le temps perdu, surtout pour grimper les côtes (ce qui se perd le plus vite), d'autant que janvier et février sont des mois à pluie, neige, brouillard, verglas.

Nous vous proposons donc :

- *Une sortie en vélo hebdomadaire*

(50 km route ou 2 heures VTT, en endurance, quelques « montagnes russes » pour ne pas perdre l'habitude de grimper des côtes). Les 5 derniers kilomètres au train, sans « taper dedans ».

- *En cas de VTT*

Du cross mais sur terrain pas trop ardu, travail des passages techniques et de l'équilibre (utile pour les routiers).

- *Pour les vététistes*

C'est l'inverse ! Une séance d'endurance sur route (chaudement vêtu, car on a plus froid en vélo de route, compte tenu de la vitesse supérieure). Durée : 90 minutes, avec braquets à partir du second plateau et cadence voisine des 90 à 100 tours aussi souvent que possible.

- *Le reste du temps*

Selon temps libre et forme, jogging à 10-12 km/h, de 45 minutes au début à 60 minutes à la fin, quitte à marcher à certains moments, sol lisse (pas de prés ni de sentiers cailloux, encore moins de surfaces en devers : on court tordu). Le bitume convient parfaitement, les chaussures actuelles étant très amortissantes.

- *Deux à trois fois par semaine*

Musculation légère à domicile ou en salle (au début, de toute façon, initiez-vous sous la conduite d'un professeur).

- *Pédalez sans sortir de chez vous*

Soit sur un appareil électronique, soit avec votre vélo sur des rouleaux. Moulinez un 50/17 ou 52/16 après échauffement en 42/16, trente minutes maximum (sur le balcon ou dans le garage pour ne pas avoir trop chaud, sinon ouvrez la fenêtre). Certains appareils vous procurent cadence de pédalage, fréquence cardiaque, distance parcourue et vitesse (fictives), pente variable (en réglant l'appareil), etc.

- *Un vélodrome est-il proche de votre domicile ?*

Si c'est le cas, allez rouler une ou deux fois par semaine 45 minutes avec un vélo à pignon fixe : pour améliorer votre vélocité et votre sens de l'équilibre.

- *Qualités du travail hivernal*
  – S'oxygéner,
  – Faire reculer ses limites,
  – Travailler essentiellement en aérobie, peu en résistance dure,
  – Faire monter les pulsations (anaérobie) par de courts exercices de vitesse (vélo de route, VTT, ski de fond, roller, jogging, ski-roues, natation),
  – Si votre région est enneigée ou verglacée en janvier voire en février, prenez part à deux ou trois épreuves de ski de fond, sans en faire un but en soi, comme entraînement musculaire et cardio-vas-culaire.

▶ Rouler en janvier-février-mars-avril

- *Janvier :*

80 % du travail en vélo (au moins deux sorties de 60 à 90 minutes par semaine, plus une sortie de 80 à 100 km),

20 % en natation, jogging, ski de fond.

But : recherche de la condition physique, endurance surtout avec braquets type 42/16 à 18 à 80/100 tours.

Rythme : à pousser progressivement, le kilométrage n'est pas le plus important, mais la vélocité.

Roulez un jour sur deux afin de récupérer : deux sorties courtes, une sortie longue.

- **_Février :_**
  – Passez à 200 ou 300 km/semaine avec de petites accélérations sur une minute.
  – La sortie longue passe à 150 km.
  – Variez les itinéraires pour éviter la monotonie.
  – Ne jouez pas (encore) au coureur avec les copains.
  – Mais trouvez-vous un circuit rapide, sans points noirs de circulation (croisements, feux, etc.) afin d'évaluer votre condition physique.

- **_Mars :_**
  – Augmentez encore les distances.
  – La sortie longue passe à 180 km (si vous préparez des cyclosportives ou brevets de longue distance pour le printemps et l'été ; deux sorties longues par mois peuvent suffire).
  – Fractionné de quelques kilomètres plats à 80-85 % de votre FC Max avec des braquets de 51 ou 52/15 pour arriver en fin de mois à un total de 2000-2500 km.
  – Prenez part à deux vélosportives : rythme, rouler en peloton, juste pour vous habituer.

- **_Avril :_**
  – La 1re cyclosportive, juste pour voir où vous en êtes.
  – Les petits malins se prélassent plutôt à l'arrière, bien à l'abri.
  – En vue de l'arrivée, avancez-vous en veillant à ne pas attaquer le premier, mais en contrant le 2e ou le 3e attaquant.
  – Notez qu'on gagne une épreuve dans le final, souvent en relançant le sprint quand on a très mal aux jambes (les autres aussi…), en attaquant près d'un mur, d'une haie (pour s'abriter), en laissant les autres dans le vent, un sprint final de 50-100 mètres constituant un maximum.
  – Avril peut donc servir d'excellente mise au point tactique.
  – La vélocité travaillée en hiver sera indispensable à ce moment-là (de 100 à 150 tours/minute), en ajoutant des démarrages sur 25 secondes avec récupération sur deux minutes.
  – En vue de la première grande « cyclosportive » en mai, faitesune sortie de 200 km à la même heure que la future épreuve, plus chaque semaine une à trois sorties de 90 minutes (les 5 derniers kilomètres au train).

En résumé : 90 % endurance, 10 % résistance. (Voir page 207).

8 - UN VÉLO POUR DEUX : LE « BIKE AND RUN »

– C'est la pratique du VTT en alternance (immédiate) avec la course à pied grâce à la présence d'un partenaire à vos côtés.

– La formule peut servir d'entraînement hivernal, remplaçant un entraînement en résistance ou en endurance (selon le rythme choisi).

– Ce peut être, en cours de saison, la découverte d'une nouvelle discipline sportive : il existe des compétitions de longueurs variables. Un complément à votre programme de vélosportives ou de cyclosportives.

– Nécessité de bien s'accorder avec votre partenaire.

– Arriver à courir à pied 45 à 60 minutes sans s'arrêter (sauf quelques hectomètres de marche, si nécessaire) est un plus.

– Les partenaires peuvent s'entraîner séparément, puis pratiquer en alternance vélo et course à pied, au début sans chercher la performance, uniquement la mise au point technique.

– Allure bientôt de plus en plus soutenue : exemple, 3 km de vélo + 1 km à pied + 3 km de vélo.

– Au début, évitez le tout-terrain, plutôt route et chemins faciles.

– Pas de chaussures cyclistes mais des « jogging » achetées auprès de spécialistes : tenez compte de votre poids, de la morphologie de votre pied (pronation, supination ou pied universel) avec port éventuel de semelles correctrices fabriquées par un podologue.

– Plutôt que des entraînements trop poussés, la meilleure préparation sera de vous mettre tout de suite dans le bain avec une petite compétition préparant à une plus difficile.

– En course à pied, les muscles travaillent de façon différente qu'en vélo : surtout mollets, ischio-jambiers et quadriceps en descente (les cyclistes en ont de bons !).

– En course à pied, échauffement plus rapide, le cœur monte généralement plus vite qu'en vélo.

– Vous pouvez courir à pied en tenue cycliste, à l'exception des chaussures : adoptez des cale-pieds ou des pédales crantées. Le casque se passe de l'un à l'autre en vitesse.

– Apprenez à boire, à absorber une barre ou une pâte de fruits, en courant.

9 - LA MONTAGNE

En comparaison d'autrefois, l'effort en montagne s'est humanisé : revêtement des routes parfois meilleur que celui des vélodromes de jadis, vélos plus légers et à cadres plus courts, dérailleurs avec triple plateau, meilleure connaissance de la diététique, vêtements thermiques…

Que reste-t-il donc à faire pour que cyclistes et vététistes ne voient pas leur épreuve ou leur simple balade se transformer en chemin de croix ?

▶ Surveillez votre poids de forme

Les jours précédents, préférez les sucres lents aux sucres rapides, évitez graisses, mets trop salés ou excessivement sucrés, alcools enfin.

▶ Allégez votre vélo

Emmenez le strict nécessaire, mais ne lésinez pas sur les deux ou trois bidons nécessaires, sur les barres énergétiques, les deux chambres à air ou boyaux de rechange, la pompe, la mini-trousse de réparation, l'imper coupe-vent, voire le collant long. Un sac de guidon ou une sacoche peuvent être utiles, sans oublier des lunettes anti-moucherons pour les descentes.

▶ Modifiez votre position

Seulement si vous devez pédaler plusieurs jours en montagne ; avancez votre selle d'un centimètre, mais laissez aux pros la pose de manivelles plus longues ; il faut d'ailleurs plusieurs sorties pour s'y habituer, la même chose quand vous reviendrez à vos manivelles normales.

❫ Choisissez vos braquets

En voyant large, en n'ayant pas honte de monter un dernier pignon de 24 dents ou plus. Les « cyclo-piétons » que nous dépassons dans les fortes pentes n'ont généralement que deux plateaux : vous savez ce qu'il vous reste à faire !

❫ Variez les positions

En utilisant toutes celles rendues possibles par votre guidon habituel et en adjoignant (pour la route) un guidon de « tri », utile pour les longues lignes droites ou les courbes larges.

Enroulez, bien assis sur la selle, aussi longtemps que vos moyens physiques vous le permettent (certains bons grimpeurs ne se lèvent presque jamais de leur selle) et, à intervalles périodiques, enroulez en danseuse (décontraction immédiate des fessiers et des membres inférieurs, relance assurée de la vitesse).

Le grimpeur a tendance à enrouler un petit braquet à un rythme élevé de pédalage. Le rouleur emmène plus gros à un rythme moindre. Le grimpeur est capable de démarrages fulgurants, comme on le voit dans les cols du Tour de France : son poids (léger), sa nervosité, sa puissance en watts lui permettent cet exercice, mais il ne dispose pas toujours du potentiel athlétique lui assurant de « tenir la distance » ; ainsi voit-on de grands gabarits finir par s'imposer, ou du moins se classer brillamment, dans les étapes de montagne.

❫ Le rythme idéal

Vous le trouverez en utilisant en même temps un compteur de cadence de pédalage et un cardio-fréquencemètre. Si vous ne disposez pas de compte-tours, à chaque montée du genou (toujours le même), comptez durant 30" et multipliez par deux. **En dessous de 60 tours/minute votre braquet est trop gros**, rétrogradez jusqu'à ce que vous retrouviez la cadence de 60-70. **Et cette cadence est à synchro-**

niser avec le « CFM » : si votre pouls dépasse le seuil aérobie-anaérobie (encore faut-il le connaître !), ralentissez, afin de demeurer au-dessus de 60. Naturellement, sur la fin du col, vous serez souvent amené à dépasser le seuil : tout le problème est de savoir combien de temps vous pouvez rester ainsi « dans le rouge ». Pour progresser en ce domaine, lisez attentivement le paragraphe 8 du chapitre III.

On mesure ici toute l'importance du test d'effort de la VO2 Max sur ergocycle que nous présentons au chapitre III.

▶ Votre entraînement à la grimpée

Il ne sera pas déterminé seulement par votre CFM et le mini-ordinateur de bord : le terrain, vos sensations du moment comptent aussi.

Vous varierez l'entraînement spécifique au fur et à mesure des progrès réalisés (pentes de plus en plus fortes, plus longues, altitudes plus élevées, au cours de sorties plus longues).

En automne et en hiver, continuez à rouler une fois par semaine sur un petit parcours type « montagnes russes », sinon en fin d'hiver ou au printemps, la reprise sera trop rude : mal aux « cannes ».

Lors des descentes, accompagnez le mouvement, histoire de ne pas laisser s'ankyloser les membres inférieurs. Profitez d'ailleurs de la descente pour repérer la difficulté de la même pente en… montée : c'est un truc d'ancien ; on s'en rend mieux compte en redescendant le col prévu pour un contre-la-montre ou un brevet.

En descendant, les sols inégaux (trous, gravillons, terre, boue, flaques d'eau), les virages dangereux car sans visibilité, doivent être abordés avec prudence : raison de plus pour vérifier ses freins avant le départ, la tension correcte des rayons aussi, la bonne fixation des bidons enfin.

Si votre région ne possède qu'une ou deux « bosses » , les autres itinéraires étant plats, il ne vous reste plus qu'à grimper plusieurs fois de suite la même montée : c'est monotone, mais c'est le seul moyen de limiter les dégâts en vue du brevet ou de la cyclosportive à venir. Même méthode si, au lieu de grands cols, votre région ne possède que des cols de 5 km à 4 % : grimpez-les (et descendez-les évidemment) trois fois de suite, chaque fois à un bon rythme.

Si vous avez la chance de pouvoir vous entraîner sur place, en haute montagne (1500 m et plus), débutez à basse altitude durant les premiers entraînements spécifiques. Si vous avez 2500 km au compteur, comme nous le préconisons par ailleurs, vous attaquerez sans problème cette vraie montagne.

Pour les stages en altitude, dans le seul but d'oxygénation, prenez conseil auprès de votre médecin du sport : la formule est à manier avec précaution ; au retour en plaine, on a en principe d'avantage de globules rouges, donc une meilleure condition physique. Mais certains séjours à la campagne (montagnes à vaches) et en bord de mer (sauf par fortes chaleurs estivales) se révèlent très bénéfiques également.

▶ **Si votre parcours comporte plusieurs cols**

Dosez votre effort en ne donnant pas tout dans le premier, au risque « d'exploser » dans les suivants. Même en descente, ne forcez pas alors que vous allez affronter une nouvelle grimpée ; laissez les imprudents vous rattraper, récupérez en souplesse, ravitaillez-vous fréquemment (boisson diététique de l'effort, barres énergétiques), soit avant le sommet (dès que la descente s'amorce, c'est trop tard, car vous ne pouvez plus lâcher le guidon sans gros risques), soit sur les portions de plat entre deux ascensions, à moins (en vrais cyclotouristes) de vous arrêter. Les risques de fringales sont accrus en cas de pluie et de froid, tant est grande la dépense énergétique.

Compte tenu des grandes variations de température entre le bas et le sommet du col, un maillot avec ouverture par-devant est un bon choix, outre le port d'un imper coupe-vent.

10 - LES SEMAINES PRÉCÉDANT UNE ÉPREUVE :
LE COMPTE REBOURS

▶ Planifiez votre saison

Prévoyez à l'avance les périodes d'entraînement maximum (pas des périodes de surentraînement grâce à des « plages » de repos actif, environ une semaine sur quatre), les épreuves (pas plus d'une tous les quinze jours et parmi elles les trois ou quatre grands rendez-vous) ; les périodes sans épreuves (avant le début de saison ou entre deux rendez-vous importants) permettront un entraînement foncier et la mise au point définitive. Pour les vétérans, prévoir des repos plus fréquents afin de durer.

▶ Ne pas confondre

Il ne faut pas confondre l'entraînement foncier, intensif, acharné parfois à mener plusieurs semaines avant le jour « J », avec l'entraînement de rythme, l'ultime perfectionnement, la finition à effectuer lors des deux ou trois dernières semaines avant l'épreuve. Cette ultime période permet la récupération de l'énergie perdue au cours de la précédente, la difficulté étant de conserver l'acquis foncier tout en maintenant sinon en élevant le plus possible le tonus physique et mental. Cela nécessite une certaine expérience de la pratique sportive et une grande connaissance de soi-même et de ses facultés de récupération.

▶ Plus vous êtes pressé de réussir une « perf »

Moins il faut vous dépêcher. Mais votre plan d'entraînement ne sera pas une bible : révisez-le en cours de saison en fonction de votre emploi du temps, de vos progrès (plus rapides que prévu) ou d'une méforme passagère. Le facteur temps sera l'allié du facteur chance.

▶ Dix jours avant une épreuve

C'est à ce moment que débute le compte à rebours définitif. À J-9 et J-4 vous pouvez envisager les ultimes séances (relativement) dures, très courtes pour la seconde. Récupérez, dormez au maximum, accordez une place importante aux soins (hydrothérapie, massages) et à une alimentation équilibrée et légère. Kilométrage réduit, efforts rapides mais courts (à 80 % de la vitesse maximale) seront votre lot en cette période. La distance kilométrique des ultimes sorties ne dépassera pas la moitié des entraînements habituels durant ces dix jours.

– Durant cette période le doute sera votre ennemi ! Le sachant, vous lui accorderez moins d'attention.

– Durant les deux jours précédant l'épreuve, évitez les stations debout inutiles, les trajets sans raisons impérieuses, faites la sieste après la douche ou le bain (15 à 20 minutes, juste pour vous relaxer).

– La nuit précédant l'épreuve, vous dormirez sans doute peu (5 heures, à peine plus, en cas de réveil matinal pour être à l'heure au départ) ; ce n'est pas trop grave, c'est le sommeil des jours précédents qui compte le plus.

❯ Préparez votre matériel

– Votre sac cycliste aura été préparé la veille avec : tenue de la course ou du rallye, tenue avant et après vélo, outillage, pièces de rechange, bidons avec préparation diététique, barres énergétiques. Alignez tout sur un lit afin de ne rien oublier. Si vous devez passer la nuit hors de chez vous, préparez trousse de toilette et pyjama…

– Votre vélo aura été préparé en début de semaine : pas à la dernière minute afin de ne pas manquer de pièces de rechange et de pouvoir effectuer un éventuel et ultime essai. Et pas de matériel trop neuf, non rodé (même les vêtements).

– La veille encore, effectuez une courte sortie en vélo (40 à 60 minutes en moulinant lentement, juste pour respirer) ou à pied ; étirez-vous. Et pour repérer le parcours, c'est un peu tard, sauf si vous n'êtes pas de la région : repérez départ et arrivée, voire certaines « bosses » si vous en avez le temps (mais en voiture).

❯ Si vous devez dormir hors de chez vous

Renseignez-vous sur la qualité (et la tranquillité) de l'hébergement, sur le menu du dîner (exigez des pâtes non grasses).

11 - *LE JOUR DE L'ÉPREUVE*

– **Faites tout pour ne pas être « à la bourre »** : vous devez avoir le temps de garer votre voiture, d'aller chercher votre dossard (ou votre feuille de route), de revenir préparer votre vélo, d'aller une dernière fois aux toilettes.

– **Mettez-vous en tenue à domicile** (sauf les chaussures), à l'hôtel ou au camping.

▶ **Sur la ligne de départ** (ou à proximité, dans l'enceinte de départ)

Respirez et expirez bien. Prévoyez un vêtement afin de ne pas prendre froid si vous devez attendre longtemps (pour avoir une bonne place en tête du peloton) : par exemple un sac poubelle de 100 litres avec trois trous percés pour tête et bras (à abandonner de l'autre côté des barrières). Avez-vous serré correctement vos chaussures ? Pour ne pas prendre froid, flexions des genoux, moulinets de bras, étirements.

▶ **L'échauffement**

Il n'est pas toujours possible dans des conditions normales à cause de la nécessité de se positionner longtemps à l'avance dans l'enceinte de départ ; dans ce cas partez doucement, accélérez progressivement. Sinon, arrivez en vélo au départ. Au lieu des fameuses « pommades chauffantes », pourquoi ne pas utiliser des jambières, quitte à les ôter en cours de route pour les donner à une voiture accompagnatrice ?

▶ **C'est parti !**

Laissez partir les kamikazes et suivez seulement ceux et celles que vous estimez être des « bons ». Ils vous demanderont d'effectuer votre part de travail en relayant. L'idéal est de partir à allure moyenne, régulière, en évitant les accélérations, de tenir le coup en milieu de parcours pour finir la seconde partie « à fond la caisse » (plus vite que vous n'êtes parti).

En réalité, c'est moins simple : les choses vont dépendre des autres, car il se trouve toujours quelqu'un pour mettre le feu aux poudres dans le peloton dès le départ ou peu après. Partir vite, terminer vite, c'est généralement ce qui se passe, même si partir lentement pour finir en trombe donne de meilleurs résultats. Laissez partir les gens qui, visiblement, roulent au-dessus de leurs moyens, mais ne tirez pas non plus les « morts » qui vous régleront ensuite au sprint (le coup classique !). Avalez les montées au train, dévalez les descentes en essayant de récupérer. Et alimentez-vous à intervalles réguliers, tout en demeurant lucide malgré la fatigue (les autres sont aussi las que vous).

◗ La ligne d'arrivée passée

– Il faudrait pouvoir rouler encore quelques minutes, à petite allure, mais la position sur le vélo devient intolérable. Vous pourrez peut-être retourner chez vous en vélo (petit braquet).

– Absorbez une cuillerée à soupe de sirop de gluconate de potassium (vendu en pharmacie) accompagnée d'un quart de litre d'eau minérale bicarbonatée sodique.

– Prenez rapidement une douche ou un bain chauds.
Changez-vous, ce qui suppose d'avoir votre sac de sport à proximité de l'arrivée. Il va falloir rapidement commencer à recharger l'organisme en glucides (comme expliqué au chapitre V).

◗ L'heure du bilan

– **Même si vous êtes moins bien classé que prévu,** peut-être étiez-vous trop optimiste ; en fait, vous avez de la chance d'avoir une santé qui vous permet d'enchaîner d'aussi longs (et aussi beaux) parcours sans souffrir mille morts !

– **Vous terminez vidé avec un mauvais résultat :** rien d'étonnant, vous n'aviez pas la préparation indispensable pour affronter une telle épreuve. La première déception passée, ne vous répandez pas partout en déclarant : « Le vélo c'est terminé, cette fois je raccroche pour de bon ! », tout simplement parce qu'on ne vous croira pas… D'ailleurs, est-ce la première fois que vous le clamez si fort ?

– Vous terminez en réalisant la « perf » de l'année : logique, vous aviez effectué la préparation idéale, celle qui vous procure les moyens de vous « vider les tripes ». La seule fois en bien des années où il nous a fallu une demi-heure pour récupérer (complètement asphyxié), c'était pour avoir pris la première place d'une course de côte après un mois de préparation spécifique.

– Mais le plus gros risque est de terminer « diesel », frais comme un gardon (ou presque). On n'a pu faire mieux que de rouler à son habituel train-train de sénateur, incapable de se dépasser, d'aller au-delà de ses limites. Le remède : vous faire un peu plus mal à l'entraînement et lors des petites épreuves de préparation, payer un peu plus de sa personne (prises de relais efficaces) le jour de l'épreuve.

– La manière dont vous vous sentez est pleine d'enseignements pour l'avenir. Si vous terminez « diesel », vous savez que vous pouvez faire mieux dans un proche avenir. Si vous avez signé une « perf » avec la sensation d'en avoir gardé (un peu) sous la pédale, ou du moins de pouvoir faire encore mieux plus tard, c'est bon signe : vous disposez d'une marge de progression. Et si vous avez été « à la ramasse » tout le long, votre préparation est à revoir de A à Z.

– Dans tous les cas, n'en profitez pas pour rouler à bloc dès les jours suivants, comme s'il ne s'était rien passé : comportez-vous comme un convalescent durant une dizaine de jours avec un entraînement léger de récupération et d'autres exercices que le vélo (natation, par exemple).

– Examinez attentivement votre moyenne, elle est pleine d'enseignements : si vous n'aviez pas de compteur au guidon, multipliez le nombre de kilomètres parcourus par 60 et divisez le résultat par le temps réalisé transformé en minutes.

– Prenez acte de vos pulsations constatées à des endroits stratégiques : montées à toute allure, chasse sur le plat, accélérations pour ne pas vous faire larguer (ou pour larguer les autres à proximité de l'arrivée), etc.

12 - LES ERREURS À NE PAS (OU PLUS) COMMETTRE

▶ **Dix-huit fautes qui risquent de vous côuter cher**

– **Prendre le départ sans vous soucier du parcours :** vous auriez pu le reconnaître, au moins examiner à la loupe les cartes, téléphoner dans la région ou à des personnes ayant pris part à la même épreuve l'an dernier (mais attention, le parcours a pu changer).

– **Prendre part chaque dimanche** à une épreuve difficile, de longue distance ou très rapide, d'où l'impossibilité de récupérer en si peu de temps, surtout avec une éventuelle grosse semaine de travail professionnel. Combien de fois n'avons-nous pas entendu : « Plus je m'entraîne, moins je progresse ! ». Mieux vaut se présenter au départ sous-entraîné que surentraîné.

– **Choisir l'échappée où il y a le plus de monde :** ne savez-vous pas qu'au-delà de 10 ou 12 cyclistes il devient difficile de s'entendre ?

– **Ne pas vous échauffer :** surtout avant d'attaquer les grosses bosses.

– **Dès le départ, jouer les fanfarons** en caracolant en tête à coup de relais assassins ; à la première bosse sérieuse, ce sera votre fête !

– **Vous abriter du vent en roulant derrière une voiture :** au risque de passer par-dessus le capot lors d'un freinage intempestif, au risque d'avaler tous les gaz d'échappement. Et en course c'est interdit.

– **Transformer toutes vos sorties en courses-poursuites.** À l'entraînement vous serez le plus fort du quartier ou de votre village, le jour de l'épreuve vous « passerez par la fenêtre » à la moindre accélération du peloton. Alors gare aux « parties de manivelles » et aux contre-la-montre individuels !

– **Ne pas varier les types de sorties** en distance, intensité, durée, relief. À force de monotonie, vous allez vous dégoûter du vélo.

– **Ne pas faire attention aux bruits venus de l'arrière :** vous entendez les dérailleurs fonctionner et vous n'avez pas compris que cela va démarrer.

– **Votre voisin a tendance à prendre les virages pentus** le plus large possible, là où ça monte le moins, car il est en difficulté, et vous n'avez rien compris : c'était le moment de vous échapper.

– **Pratiquer un sport de complément** de façon si excessive qu'il devient un sport « en supplément » et vous épuise.

– **Vous élancer sur routes et chemins,** bidons et poches vides ou insuffisamment remplis : c'est au début de la deuxième moitié et surtout du dernier tiers de l'épreuve (ou de la sortie longue) que vous risquez le plus de vous trouver face au « mur » (hypoglycémie).

– **Choisir un itinéraire** de rues et routes ultra encombrées, de préférence aux heures de pointe, ou alors le sentier VTT le plus empierré et pentu possible alors que vous vous sentez en petite forme.

– **Partir tout droit sur un itinéraire inconnu,** au hasard, sans vous soucier du kilométrage total (avec le retour), ni du relief.

– **Prendre sans complexe des roues inconnues :** par exemple celles de coureurs chevronnés croisés au hasard.

– **Partir le plus tard possible l'après-midi,** sans éclairage ni vêtements réfléchissants : il vous restera les camions de 15 tonnes pour vous illuminer la route dès la tombée de la nuit.

– **Pour plus d'inconfort,** emprunter le vélo de votre copain le plus grand ou le plus petit, sous prétexte qu'il dispose du dernier perfectionnement que vous n'aviez pas encore utilisé.

– **Vous raser le visage, messieurs, le jour de l'épreuve :** contrairement à une légende, vous n'aurez pas moins de « jus » ; mais avec la transpiration, la peau de votre visage va vite s'irriter, vous allez vous frotter, ce qui l'irritera plus encore. Rasez-vous donc la veille. Et pour les jambes, il faut trois jours pour que se cicatrisent les petites écorchures du rasage.

Chapitre II

Votre suivi médical :
une assurance
sur la performance

« Le vélo c'est la santé », oui mais... en comparaison des autres sports individuels, le vélo offre de notables avantages, en particulier celui de permettre des pauses actives : on continue à avancer même sans pédaler, tout en pouvant se redresser sur la selle et alterner différentes positions afin de se décontracter. Rien de tel en marathon, par exemple : on peut marcher, certes, mais la reprise de la course est malaisée ; après un arrêt total, c'est pire !

Ceci posé, le vélo à haute dose peut présenter des inconvénients pour la santé. Moins, c'est vrai, que tabac, alcool, drogue ou nuits entières en « boîte». Mais, nous en sommes sûrs, vous ressentez les premiers symptômes de l'épidémie de vélocipédiose aiguë. La contagion aidant, vous allez la propager auprès de vos amis. Des précautions s'imposent, comme le conseille le Dr Catherine Guyot, médecin de l'équipe de France féminine de cyclisme et du Tour de France :

Prenez rendez-vous avec un médecin du sport ou votre médecin traitant. Obtenez une visite médicale approfondie avec :

• *Un interrogatoire soigneux à la recherche :*
– des antécédents familiaux et personnels (pathologie cardiaque notamment),

– des différents facteurs de risque (cholestérol, obésité, tabac, hypertension),

– des petits signes pouvant évoquer une pathologie cardiaque souvent négligée ou occultée par le patient lui-même (douleur thoracique d'effort, essoufflement inhabituel, palpitations, malaises, difficultés de récupération),

– éventuellement des signes de surentraînement pouvant expliquer une méforme passagère.

• *Un examen clinique complet*

En particulier cardio-vasculaire, pulmonaire, locomoteur, avec indication des données anthropométriques (poids, taille, masse grasse, périmètre thoracique et abdominal, etc.), accompagné d'un ECG (électrocardiogramme) de repos et au moins d'un test d'effort tel le Ruffier-Dickson. On compte chaque année en France 1500 morts subites sportives, dont la grande majorité relève d'une cause cardiaque très souvent méconnue. Les sujets de 35 à 65 ans (majoritaires parmi les cyclosportifs et les cyclotouristes adeptes des longues distances) constituent une population à risque, tout particulièrement ceux et celles reprenant l'entraînement après une longue période d'arrêt, le cas extrême nécessitant le plus d'attention étant celui du « jeune retraité » s'adonnant à nouveau à une activité sportive intense, après deux ou trois décennies d'arrêt. L'ECG de repos décelant quelque anomalie sera alors suivi d'une épreuve d'effort chez le cardiologue avec ECG et profil fonctionnel d'effort. D'autres examens plus sophistiqués pourront être également demandés en fonction du type d'anomalies décelées.

À l'issue de cette consultation, le médecin vous délivrera **une attestation de non-contre-indication à la pratique du sport cycliste :** obligatoire pour la délivrance (ou le renouvellement) d'une licence de compétition, exigée pour les non-licenciés souhaitant prendre part à des épreuves comportant un classement et un chronométrage, recommandée par le corps médical pour les cyclotouristes, surtout les adeptes de la grande randonnée et des ascensions en montagne.

Autre nécessité absolue en cyclisme comme en cyclotourisme, souligne le Dr Guyot : **la vaccination contre le tétanos,** la vaccination anti-chutes. Sinon, à la moindre blessure, outre le danger d'attraper cette redoutable (et parfois mortelle) maladie, en cas d'hospitalisation urgente, vous risquez de vous voir injecter du sérum antitétanique, une cause de méforme possible durant quelque temps, alors que le vaccin (qui vous immunise pour cinq ans) ne vous causera aucune perturbation, hormis une petite gêne dans l'épaule durant trois ou quatre jours. N'omettez point de porter sur vous le certificat de vaccination ou sa photocopie et un document attestant de votre identité, avec le numéro de téléphone de la personne à prévenir en cas d'accident.

Une visite auprès de votre dentiste s'imposera deux fois par an, par sécurité, même si vous n'avez pas mal aux dents. Lavez-les deux fois par jour, le brossage correct (en remontant pour les dents du bas, en descendant pour celles du haut) étant plus important que la nature du dentifrice, celui au fluor étant tout de même préférable par son rôle protecteur.

• *Attention*

– **Si vous craignez les aphtes,** rincez-vous la bouche après le repas, surtout si vous avez absorbé des fruits acides (oranges, citrons, raisins) et certains fromages cuits. Il existe un vaccin anti-aphtes : des comprimés à sucer plusieurs fois par jour durant deux semaines.

– **En sport,** comme on effectue un effort physique avec la bouche ouverte, on a une bouche sèche par raréfaction de la salive, d'où l'accumulation des déchets alimentaires sur les dents : des risques accrus de caries. Et comme les cyclistes absorbent beaucoup de sucre, bouche sèche plus sucre, les deux maux s'additionnent ! D'où la nécessité, là aussi, de se rincer la bouche ou d'absorber un verre d'eau pure après chaque entraînement ou compétition, voire en cours de route (ou de chemin pour le VTT), l'attaque de la dent survenant au bout d'un quart d'heure environ.

Dans cet esprit, vous pouvez utiliser un bidon à embout afin que la boisson soit envoyée tout droit au fond de la bouche, limitant le contact du sucre avec les dents.

Autre spécialiste à consulter éventuellement, **un podologue :** pour éviter certaines douleurs dans les genoux et le dos, le port de semelles correctrices internes peut s'imposer, surtout pour la marche à pied, le jogging, le ski de fond, les jeux de ballon, etc.

Encore une remarque importante : **nombre de sportifs hésitent à utiliser les antibiotiques,** considérant que ceux-ci vont les affaiblir pour une longue période ; c'est faux, c'est l'infection seule (grippe, angine, par exemple) qui affaiblit l'organisme. Ne vous privez donc pas d'une guérison rapide, et reprenez l'entraînement tout doucement.

1 - *TÉMOIGNAGE : DE L'UTILITÉ DE L'ÉLECTROCARDIOGRAMME D'EFFORT*

Robert V., cyclo, pratiquant d'un grand club niçois, victime d'un accident cardiaque, raconte sa mésaventure dans la plaquette 1992 de son club : « Chaque année, en France, 100 000 à 150 000 cas d'infarctus du myocarde sont à l'origine de nombreux décès et d'invalidités durables. Il faut tout faire pour prévenir cet accident cardiaque et surtout ne pas vous dire que ça n'arrive qu'aux autres. Amis cyclos atteignant ou dépassant 50 ans, il est indispensable de connaître les facteurs de risque pour éviter que la sortie cycliste ne se termine par une « panne » de cœur. N'hésitez pas à consulter un médecin du sport et à recourir à un ECG d'effort au moins tous les deux ans, si rien ne justifie une périodicité plus rapprochée.

Cet examen est aussi important, sinon plus, pour ceux qui sortent très irrégulièrement que pour les sportifs assidus. Ne suis-je pas bien placé pour vous parler du cœur et du système cardio-vasculaire ? Je n'ai pas fumé, jamais bu d'alcool ; absence de « mauvais » cholestérol, absence de diabète, tension artérielle normale, rythme cardiaque lent, cœur de sportif, me disaient les docteurs, pas de maladies graves depuis ma naissance, pratique du cyclisme depuis 1945. Confiant devant un tel état de santé, j'ai toujours pensé qu'il était inutile de consulter un cardiologue et de me soumettre à une épreuve d'effort.

Or, un dimanche, en grimpant le boulevard Carnot à Nice, j'ai ressenti une très forte douleur dans le dos, bloquant ma respiration. Tout en ralentissant pendant 2 km, j'ai continué à pédaler jusqu'à Monaco avec retour à Nice. Quelques jours après, l'ECG d'effort permettait de constater qu'il s'agissait du début d'une angine de poitrine. Les cardiologues disent que je dois être un « cas » pour ne pas avoir été victime d'un infarctus. La coronagraphie effectuée 10 jours après l'ECG révélait que l'artère coronaire gauche était le siège, sur ses deux premiers centimètres, d'une sténose très sévère de l'ordre de 95 %. Cette arthérosclérose, réduisant le flux sanguin, conduisait les médecins à décider une intervention chirurgicale ».

« Un pontage aorto-coronaire a été réalisé le 24 avril, plus tôt que prévu, car le soir de l'examen j'ai fait un arrêt cardiaque. Pendant ce court instant, je me suis trouvé au paradis des cyclistes. Là, Honoré et Stefanuccio, Albert Ardisson, Dominique Urago, Jean Gioanini, Colin Lucas, Lucien Giais m'ont dit : « Que viens-tu faire ici ? Nous n'avons pas encore besoin de toi. Va t'occuper de la trésorerie du club, tu n'en seras qu'à ton 12e mandat ». Et pour manifester son accord, mon cœur est reparti seul, sans massage. Deux semaines après mon opération (perte de poids : 10 kg en 15 jours), je partais reprendre du poids et des forces pendant un mois dans une maison de repos.

[...] Le 14 juin je reprenais la trésorerie, et le 4 juillet, deux mois et onze jours après l'opération, avec l'autorisation des cardiologues, j'effectuais ma première sortie en vélo (30 km) vers Cannes avec retour par le Cap d'Antibes, sans dépasser 22-23 km/h et 120 pulsations/minute mesurées par mon cardio-fréquencemètre. »

À souligner enfin que la pratique du vélo nécessite des précautions particulières (pas de compétition, pour commencer) en cas d'hypertension supérieure à 18/10, de troubles importants du rythme cardiaque.

2 - CHANGEZ VOS HABITUDES DE VIE

Je roule comme une clé à molette…

Aucune préparation physique digne de ce nom cet hiver, une accumulation de bons repas bien arrosés avec (forcément) une prise de poids, un printemps sur les chapeaux de roue pour rattraper le temps perdu en avalant le maximum de « bornes ».

Résultat : vous voici à plat, alors que se profilent à l'horizon les belles épreuves de l'été ; en désespoir de cause, vous appelez à votre chevet le docteur Vélo en le suppliant de vous prescrire quelque potion miracle susceptible de vous redonner le tonus de la saison dernière, ou celui que vous espériez sans l'avoir jamais eu.

Que d'erreurs relève le disciple d'Esculape !

– Vous ne montriez aucune inquiétude quand vous ressentiez une sensation de grande fatigue persistante, malgré des nuits de bon sommeil ; vous étiez bien jusqu'à midi, avant de ressentir une certaine lassitude, un faible appétit, une nervosité inhabituelle, outre maux de tête, vertiges, rythme cardiaque excessif, poids perdu non regagné et coup de pompe au bout d'un moment sur le vélo.

– Vous ne vous êtes pas soucié du rythme irrégulier de votre cœur, de douleurs dans la poitrine, d'essoufflement anormal, de nausées.

– Combien de fois vous alliez rouler, et vite, juste en sortant de table !

– L'hiver, et par tous les temps frais, vous sortiez en vélo jambes nues, ayant la flemme d'enfiler votre collant protecteur des muscles et articulations. Et vous pratiquiez de même en jogging.

– Vous vous étonniez de ne pas enregistrer de progrès substantiels de vos performances : or vous ne rouliez, ou du moins ne pratiquiez l'exercice physique, qu'une seule fois par semaine ; **apprenez que l'organisme se fatigue d'autant plus qu'on fait moins de sport, moins on fait d'exercice physique plus l'organisme s'use.**

Le temps est venu de mettre en œuvre un plan d'urgence :

▶ Faire la chasse aux mauvaises positions dans la vie quotidienne

Des douleurs lombaires peuvent provenir, par exemple, d'une mauvaise position au travail et à la maison. Votre préparation physique débute avec de bonnes positions, celles évitant dos voûté, jambes croisées (cela tire sur la crête iliaque), sièges mal réglés (en particulier par rapport à la table de travail), douleurs dorsales, inclinaison trop en avant de la tête (compression de la trachée, petit malaise passager). Évitez les sièges inclinés et trop mous. En voyage, portez deux sacs ou valises plutôt qu'un seul bagage trop lourd.

Autre chose : les matelas très mous sont à déconseiller. Et courbez le moins possible le haut du corps. Dormez ou faites la sieste avec un coussin (ou à défaut une couverture pliée) sous les genoux pour alléger dos et muscles des membres inférieurs. Nous passons le tiers de notre existence au lit, cela vaut la peine de faire attention à notre confort !

▶ Revoir votre vélo de A à Z

Notamment les réglages (selle, guidon, longueur des manivelles), encore supposons-nous que le cadre est bien à votre taille… Jeune coureur, respectez les (petits) braquets conseillés dans votre intérêt. Vétérans, adoptez le triple plateau sur la route. Adultes, n'abusez pas du 12 ou 13 dents, faites plutôt tourner vite les jambes pour améliorer votre vélocité (musculation naturelle des membres inférieurs, amélioration du rythme cardio-respiratoire). Une fois sur la route ou le chemin, buvez une boisson énergétique, sur de longues distances absorbez des barres, consultez votre micro-ordinateur de bord (vitesse mais surtout cadence de pédalage) et votre CFM (cardio-fréquencemètre).

▶ Perdez (si nécessaire) du poids

Les bourrelets se sont accumulés. Pas question de faire pénitence ni de jeûner, mais se montrer raisonnable. Pour les cyclistes pratiquants, pas question de substituts de repas : il vous faut manger, mais pas n'importe quoi. Finis sucreries entre les repas (sauf en cours d'effort sportif important), sel excessif dans les plats, graisses animales, alcool, tabac. L'heure est aux viandes grillées, au poisson non gras, aux œufs durs, aux légumes verts, aux fruits frais, aux biscottes, au beurre allégé, au yaourt.

D'une manière ou d'une autre, effectuez chaque jour des exercices physiques, à défaut de pouvoir faire du vélo à dose raisonnable.

▶ Rationalisez vos sorties en vélo

Plus un jour à perdre ! Petits braquets indispensables, grosses « soucoupes » bannies, entraînements courts mais fréquents à allure raisonnable pour rentrer à domicile sans trop de fatigue, avec l'envie (féroce) de recommencer au plus tôt (le lendemain, pas avant). Oxygénez-vous, savourez les paysages, tout en récupérant des efforts des jours précédents. Rien ne vous empêche de faire monter un peu les pulsations, à 70 % de votre potentiel. Prenez part, si vous vous sentez mieux, à de petites épreuves de préparation, une fois tous les quinze jours, en alternant parcours long et parcours facile.

Le vélo est un exercice physique naturel, y compris en tant que sport de compétition. Il suffit de s'adapter, selon vos possibilités, chacun à son allure, selon son niveau. Aussi le plus difficile est d'arriver à bien vous connaître, à savoir jusqu'à quel niveau vous ne devez point aller. Peut-être vous faudra-t-il un an pour arriver à parcourir 100 ou 150 km sans endurer le martyre, mais vous y parviendrez à condition de doser votre effort d'entraînement le plus progressivement possible.

▶ Organisez-vous !

Le vélo, c'est d'abord un état d'esprit : la volonté de trouver chaque jour un moment pour pratiquer le sport, au moins quelques exercices physiques, avec l'acceptation de menus sacrifices (se passer de sucreries, de tabac, d'alcool, de plats épicés, lourds).

– Achetez un agenda qui vous servira de carnet d'entraînement.

Inscrivez chaque jour (en abrégé) le nombre de kilomètres effectués, la durée des heures passées en selle, les autres exercices effectués afin de pallier l'impossibilité de rouler, deux ou trois fois par semaine votre poids (le matin avant le petit-déjeuner, toujours dans la même tenue), votre état de forme, les petits bobos et maladies. Totalisez le kilométrage de la semaine, du mois, de l'année, des trois mois de début d'année avant les premières compétitions ou brevets. Précisez sur votre carnet le rythme de chaque sortie : une sortie en endurance à 20/25 km/h, ce n'est pas la même chose qu'une sortie en résistance dure à 40 km/h en tournant les jambes à 100 tours/minute ! **Les kilomètres n'ont pas tous la même valeur.**

– **Le lundi** doit être une journée de récupération et de réadaptation au rythme de votre vie professionnelle ou de vos études ; activités sportives moins fatigantes que les autres jours, surtout au lendemain d'une fin de semaine chargée en efforts physiques.

– **Le mardi** sera allégé lui aussi en cas d'épreuve affrontée le dimanche : c'est généralement le surlendemain que l'on se sent le plus éprouvé. En revanche, le **mercredi** on doit ressentir une nette amélioration de la forme, ce qui permettra de reprendre un entraînement soutenu, de même que le **jeudi.** Si une épreuve ou une sortie importante est prévue **samedi ou dimanche**, le **vendredi** sera un jour de semi-repos physique.

Une chose est de pratiquer **des exercices physiques quotidiens** pour s'entretenir, une autre est le véritable entraînement destiné à la progression athlétique. Alors entraînez-vous un jour sur deux, plutôt que de tout bloquer sur un ou deux jours ; du moins dans le courant de la semaine, puisque nous vous conseillons par ailleurs de profiter au maximum des fins de semaine, des « ponts » et des congés : vous aurez la possibilité de vous reposer (sommeil plus long, sieste, pas de transport pour vous rendre au travail, donc moins de fatigue et plus de temps libre). L'idéal serait un peu de sport le matin, un peu en fin d'après-midi, mais en avez-vous le temps ? Arrêtez-vous avant la sensation d'épuisement, de fatigue extrême : vous aurez le temps pour ça en compétition… Mais vous seul pouvez juger si votre effort est aisé, un peu poussé, trop poussé, voisin de l'épuisement. Votre CFM (cardio-fréquencemètre), votre cadence de pédalage, votre totalisateur de kilomètres vous aideront.

▶ Doser votre effort

(Expression que nous préférons à « gérer votre effort »), personne ne peut le faire à votre place : rouler 100 km à l'aise ou « à la ramasse », terminer une épreuve à une place honorable en ressentant une impression de facilité (en comparaison de la précédente) et terminer à la même place « sur la jante », ce n'est pas la même chose. Dans le premier cas, une progression sensible est proche ; dans le second, si vous insistez, si vous ne vous reposez pas quelque temps (un repos actif peut-être), vous allez régresser, allant de désillusions en désillusions. L'histoire du cyclisme est jonchée d'ex-futurs champions dont la VO2 faisait exploser tous les spiromètres, mais dont les résultats ne furent jamais à la hauteur des espérances mises en eux, car ils ne savaient pas doser leurs efforts, à l'entraînement comme en compétition.

L'exercice physique, c'est aussi la marche qui remplace en ville l'auto ou les transports en commun, le jardinage, la gymnastique, les jeux de ballon avec les enfants, la balade en famille ou avec les collègues (ainsi lors de la pause de midi). Luttez contre les pertes de temps, sélectionnez au mieux vos programmes de radio et de TV, vos sorties pour aller aux spectacles, évitez les attentes à la poste, au supermarché, évitez de circuler à certaines heures, chassez le gaspi !

Ne mangez pas sur le pouce. Évitez le grignotage permanent : vous grossirez sans accumuler de l'énergie. Débutez la journée par un solide petit-déjeuner (avec sucres lents, œuf, fromage, jambon maigre), quitte à vous lever plus tôt. Un petit-déjeuner copieux vous fera gagner du temps, en vous permettant de « tenir ».

À la cantine ou au restaurant, déjeunez en vous mettant à l'aise : même si votre emploi du temps est chargé, il vaut mieux consacrer quinze minutes à mastiquer correctement, que de tenter de gagner du temps pour pédaler le soir quinze minutes supplémentaires. Retenez systématiquement les crudités et légumes verts, les fruits, écartez les frites et sauces. Ou alors apportez votre repas : yaourt, viande froide, légumes ou riz en salade, fruit, pain ou biscottes.

Une astuce consiste à se rendre au travail en vélo. Ce qui suppose un itinéraire sûr (faible circulation automobile ou bandes cyclables) et de pouvoir se changer en arrivant au bureau ou à l'usine en cas de forte transpiration. En hiver, vous pouvez préférer le jogging pour vous y rendre, ce qui rend encore plus nécessaire le changement de vêtements. Votre objectif sera de tirer parti de chaque moment de la journée susceptible de se transformer en entraînement, ne serait-ce que d'entretien.

▶ Le sac et les poches du cycliste

– **Avoir en permanence un sac de sport prêt pour le départ,** évitant la précipitation de la veille ou du matin de l'épreuve. Si vous devez passer la nuit hors de votre domicile, ayez dans ce sac une trousse de toilette (en double de ce que vous avez en permanence à la salle de bain), un pyjama, des sous-vêtements, etc., en prévoyant tous les types de temps avec survêtements cyclistes en conséquence. N'oubliez pas la tenue avant et après vélo (survêtement en général). Si vous partez le matin pour vous rendre directement au départ, mettez-vous en tenue cycliste pour conduire votre voiture ou vous faire transporter : vous gagnerez du temps à l'arrivée sur le lieu de l'épreuve.

– **Faire ses poches**, une opération (comme celle du sac) que vous ne laisserez à personne le soin de faire. La veille prévoyez : deux ou trois bidons, chambres à air ou boyaux de rechange (neufs si possible), pompe, coupe-vent, provisions de bouche et tablettes énergétiques, aliment diététique de l'effort pour le bidon, sachet en plastique avec carte de visite, copie du certificat de vaccination antitétanique, carte téléphonique, deux ou trois billets, quelques pièces de monnaie, des mouchoirs en papier multi-usages (tenant lieu de papier hygiénique).

– **Juste avant le départ**, repérez les toilettes pour pouvoir rouler à l'aise, d'autant que le trac est souvent cause du « pipi de la frousse ». Une tasse de café peut aider, pour un départ de bonne heure, à l'évacuation des instestins.

– **Après l'arrivée d'une épreuve**, à moins de dénicher une cabine de douche, prévoyez dans votre sac de sport un gant de douche prêt à l'usage : imprégné de base lavante (si on a de l'eau avec soi) ou à fraîcheur imprégnée (si on n'a pas d'eau) ; ces gants sont jetables après utilisation. Une eau de toilette déodorante, voire du Synthol avec une serviette-éponge, vous rendront un service équivalent.

– **En voyage professionnel ou touristique**, il se peut que vous ne puissiez disposer de votre vélo personnel. Cela nous est arrivé plus d'une fois : nous avons loué un vélo pour nous déplacer en Hollande, au Danemark, en Allemagne, au Japon, au Québec, en Suisse ; c'est très pratique et, même en ville, c'est aussi de l'exercice physique, à défaut de véritable entraînement. Ayez donc dans votre sac de voyage une tenue de sport permettant la pratique, sous une forme ou une autre, de votre sport favori.

▶ Le repos fait partie de l'entraînement

À défaut de sieste, difficile sur les lieux de travail, **ménagez-vous au moins des pauses :** absorption d'une boisson, de biscuits diététiques (à faible teneur en sel et en graisses), étendez les jambes, détendez tout votre corps, fermez les yeux quelques instants. À la belle saison, profitez d'une pelouse ou d'un banc à l'ombre. Après le repas de midi, un moment de détente favorise la digestion et permet de récupérer.

En période estivale, surtout de vacances, la sieste est presque indispensable compte tenu de la chaleur : s'étendre dans une pièce dont on aura fermé portes et fenêtres après y avoir fait entrer la fraîcheur du petit matin, permet de mieux supporter la chaleur. Votre pause et votre sieste peuvent nécessiter le port d'un bandeau sur les yeux et de boules en cire dans les oreilles. L'adulte doit dormir environ 8 heures, le sportif un peu plus selon nécessité avec un rythme naturel à observer autant que possible : coucher tôt, lever tôt.

Si vous rentrez fatigué de l'entraînement (cas probable), couchez-vous de bonne heure afin de ne pas ajouter une fatigue supplémentaire. Enregistrez sur K7 la passionnante émission de télé de ce soir, et levez-vous plus tôt. Le cyclotourisme, permet de ressentir une sensation d'euphorie physique favorisant l'activité intellectuelle, alors que la compétition incite plutôt au repos. Dans tous les cas, n'accumulez pas les retards de sommeil, surtout en vue d'un raid ou d'une épreuve : c'est ce qui vous permettra de dormir peu la nuit précédente (comme c'est presque toujours le cas étant donné le stress qui vous gêne pour vous endormir et le réveil matinal obligatoire).

La veille de l'épreuve, pour vous endormir, on peut conseiller un bain ou une douche chaude, une infusion calmante (tilleul, fleur d'oranger, camomille), voire (après avis du médecin habituel) la prise d'un sédatif léger sans effet secondaire au réveil.

Au soir de l'épreuve, vous aurez peut-être à nouveau de la difficulté à vous endormir : soit à cause de l'euphorie engendrée par le succès, soit par suite de la déception causée par l'échec. Dans les deux cas vous revoyez dans votre tête de multiples fois les péripéties de la journée, vous imaginez ce qui aurait pu se passer si les choses s'étaient déroulées autrement. Pour peu que vous ayez pris pas mal de vitamines (la C surtout), de thé, de café, ne vous étonnez pas si vous éprouvez de la peine à vous endormir malgré la fatigue ressentie.

Longtemps le corps médical a recommandé les « 3 x 8 » : 8 heures de travail, 8 heures de sommeil, 8 heures pour le reste (transports, repas, loisirs). Certains professionnels et autres cyclistes de haut niveau ont leur propre rythme : 12 heures de sommeil, 2 heures de sieste, le reste pour l'entraînement, les repas, la vie familiale.

Les méthodes de relaxation, tel le training autogène de Schultz, font partie de l'arsenal des moyens naturels d'endormissement.
Évitez les sorties tardives en vélo, vous dormirez mieux la nuit venue.

En cas de baisse de forme (par surentraînement ou travail important), roulez seulement en endurance (petits braquets, en moulinant, sans trop de changements de rythme). En cas de forte baisse de tension (en dessous de 110 pour le maximum), n'hésitez pas à arrêter toute pratique sportive durant deux ou trois jours : cela vaut mieux que de « traîner » votre fatigue durant plusieurs jours.

❱ Le champion ascète, c'est dépassé !

Les médailles se gagnent la nuit. Il aura fallu plusieurs décennies pour que les dirigeants des fédérations sportives finissent par convenir que la présence d'hommes et de femmes ensemble dans un village olympique ne nuisait en rien aux performances sportives, la continence forcée pouvant déclencher des troubles névrotiques. Le seul problème reste la durée du sommeil, ainsi que nous l'avons souligné précédemment. De même, un banquet, une petite fête et quelques verres (pas trop alcoolisés) ne nuisent pas à la condition physique lorsqu'il s'agit de savourer une « perf ».

3 - LA FORME, PAS DES FORMES

De deux choses l'une, soit vous débutez dans le vélo le corps un tantinet « enveloppé », soit vous avez pris quelques kilos superflus au cours de l'hiver. Dans les deux cas, pour revenir au poids de forme, ou pour y parvenir pour la première fois, la méthode n'est guère différente. Avant de monter sur le vélo, il nous semble que la meilleure méthode est de changer ses mauvaises habitudes, donc de perdre du poids afin de pédaler plus à l'aise.

Pour les cyclistes et vététistes entraînés, pas d'inquiétude si la balance annonce deux ou trois kilos de plus l'hiver : ils vont disparaître avec les premiers entraînements sérieux, au pire avec les premières chaleurs printanières (ne dépassez pas une surcharge de 5 % de votre poids). Les séances d'endurance (donc longues), en puisant dans les ressources profondes de l'organisme, permettront d'éliminer les bourrelets. Mangez moins à la fois, mais en plusieurs fois. Buvez bien entre les repas. Attention aux excès de graisse, de sel, de sucre, aux alcools purs. Ne vous gavez pas le soir, mangez plus au petit-déjeuner et à midi, sans compter un « en-cas » en milieu d'après-midi. Évitez les graisses animales au profit des graisses végétales. Méfiez-vous des biscuits ; ils cumulent généralement tous les défauts : graisses, sucres, sel ! Préférez un fruit cru en cas de petite faim.

Autres choix : deux œufs durs plutôt qu'une omelette, du jambon découenné plutôt que du pâté ou du saucisson, le fromage à faible teneur en graisse, le beurre allégé.

Revenons aux personnes dites « enveloppées ». Plus elles sont fatiguées, parce qu'elles ne font pas ou peu d'exercices physiques, moins elles sont tentées d'en faire ; au restaurant, en vacances, alors qu'après 2 à 3 heures de sport nous nous contentons souvent d'un plat unique (viande ou poisson plus légumes variés ou pâtes) et d'un dessert fruité, ces personnes ajoutent hors-d'œuvre (constituant à eux seuls un véritable repas) et fromages, outre force assaisonnements...

Faute de changer leurs habitudes, ces personnes ont peu de chance de s'en sortir. Si elles veulent se lancer dans le sport, elles doivent manger autrement et ne pas s'imaginer qu'en pédalant elles vont automatiquement perdre leur tour de taille, tout en continuant à manger n'importe quoi !

▶ A-t-on tendance à grossir avec l'âge ?

Pas forcément, si on se surveille ; ce qui est le cas de l'auteur et était déjà celui de son père, mais qui n'est pas le cas d'autres membres de la famille de gabarit équivalent au départ, mais qui n'ont pas souhaité suivre le même régime... sportif.

Il n'existe donc aucune fatalité en ce domaine. Suivez les conseils que nous prodiguons plus haut : pratique régulière du vélo (ou à défaut d'autres sports tels que natation, ski de fond, culture physique en salle, etc.), alimentation raisonnable (nous ne disons pas « régime », expression à laisser aux malades, opérés, convalescents), sommeil régulier.

▶ En évitant les méthodes charlatanesques

Quand nous disons moins de graisses, de sucres, de sel, nous ne disons pas « plus du tout ». Le sel notamment, est indispensable, surtout en période estivale de forte transpiration.

Les vêtements en plastique pour transpirer ne font nullement maigrir : transpirer abondamment cause une soif intense par laquelle on regagne vite le poids perdu par déshydratation. C'est l'exercice physique long, pas forcément intense, qui fait perdre du poids.

❱ Pour arriver à votre poids de forme

Faites d'abord constater votre taux de masse grasse par un médecin : il utilise un adiposomètre, une pince graduée mesurant les plis de votre peau sur les bras et le dos : un taux correct se situe à 10 ou 12 % (hommes), 14 % (femmes). Un test simple est celui du jean ou du short porté depuis des années chaque été : si vous n'entrez plus dedans au sortir du printemps, c'est mauvais signe... Quant à ce fameux « poids de forme », c'est celui avec lequel vous vous sentez le mieux, qui vous permet les meilleures performances sportives avec une grande sensation de facilité (parce que légèreté du corps). Mais il peut y avoir un poids de forme hivernal, un poids de forme printanier, avant celui estival où le corps élimine le maximum d'eau.

❱ Ce qu'il ne vous faut plus faire...

– **Manger en trop grande quantité le soir.**

– **Grignoter toute la journée** des aliments sucrés ou salés durant les phases non sportives.

– **Lors de vos déplacements sportifs**, ne pas prévoir d'aller dans un restaurant capable de vous proposer un dîner puis un petit-déjeuner à base de sucres lents non gras.

– **Ne pas vous méfier des graisses cachées** dans les tartes, quiches, pizzas, mousses (depuis celles au poisson jusqu'à celles au chocolat).

– **Manger à toute allure** sans mâcher ni mastiquer suffisamment.

– **Boire en trop faible quantité :** ayez toujours une bouteille d'eau minérale (voire une préparation diététique) à portée de main.

– **Estimer que c'est « arrivé »** quand vous avez perdu deux ou trois kilos après un effort physique important, ou seulement à cause de la chaleur ambiante. Il faut voir cela sur une période de plusieurs semaines. **Seuls les efforts fréquents**, répétés, continus, sur une longue période, font progresser et permettent d'arriver au poids de forme.

– **Se mettre dans la tête** qu'en faisant beaucoup de vélo vous pouvez vous permettre des excès alimentaires. C'est souvent le contraire : avec le sport actif on supporte moins bien les plats indigestes.

– **Arriver trop affûté** au départ des épreuves de longue distance (150 km et plus) : un ou deux kilos en réserve ne seront pas de trop dans le grand fond, ce seront autant de calories à votre disposition le jour « J » .

– **Ne pas varier les menus :** inutile de manger de la viande à tous les repas, mangez du poisson, des œufs, du fromage.

En revanche, pour contribuer à la perte de poids, une méthode consiste à effectuer des sorties en vélo le matin, à jeun (hormis un café léger sucré), en endurance, d'une durée de 60 à 90 minutes.

4 - *VACANCES, FINS DE SEMAINE,*
LES MOMENTS RÊVÉS POUR ROULER

– **Efficaces** sont les entraînements successifs samedi/dimanche couplés avec un autre en milieu de semaine, ce qui laisse le temps de récupérer ; on peut rouler beaucoup deux jours de suite compte tenu de la possibilité de mieux récupérer, de dormir plus, de faire la sieste, de prendre son temps pour manger. Pour ceux et celles dont les jours de repos tombent en semaine, même principe en déplaçant les sorties en semaine quand les autres travaillent. De préférence : sortie rapide le samedi, sortie longue le dimanche.

– **Ne gâchez point** les moments de liberté du reste de la famille : vous pédaleriez et les autres resteraient enfermés à la maison ou dans une chambre d'hôtel ? Faites en sorte que tous et toutes participent, soit en vélo selon leur niveau, soit en pratiquant une autre activité sportive (tennis, plage, balade).

– **Les personnes** ayant déjà eu un entraînement physique en cours d'année connaissent moins de problèmes pour s'adapter à faire du sport chaque jour durant les vacances.

– **Le dimanche** (mais aussi pendant la durée des vacances) ne vous adonnez pas à la boulimie de kilomètres. Alternez sorties d'endurance (où vous profiterez de la nature) et sorties courtes plus rythmées. Si vous en faites trop, en vous « crevant » vous annulerez les bienfaits des entraînements du début de saison effectués quand vous travailliez.

– **Le samedi** est souvent un jour sacrifié si l'épreuve a lieu le dimanche, car on n'ose rien faire en prévision du lendemain. D'où des risques pour la vie familiale. Mieux vaut donc une épreuve le samedi afin d'être libre (même fatigué) pour d'autres activités le dimanche.

– **Allez rouler** longtemps après les repas. Ou alors partez doucement si vous ne pouvez faire autrement : par exemple afin de rentrer de bonne heure pour passer le reste de la journée en famille.

– **Prévoyez** de vous vêtir en fonction des grosses différences de température entre le matin et le soir, plus celles liées à la déclivité (descente de cols, même de faible altitude).

– **Lors des premiers beaux jours :** vous avez peut-être pris un certain tour de taille. Ne vous remettez pas au vélo « à fond la caisse » au risque de terminer bien vite « les bras en croix » avec hypoglycémie, courbatures, accident musculaire ou tendineux, troubles cardiaques, baisse de tension… Rentrez de vos sorties en vélo avec l'envie farouche de recommencer.

– **Préparez-vous** en vacances pour les épreuves de fin de saison : à prévoir dans votre plan d'entraînement avant le début de saison.

– **Rouler ou bronzer**, le bon choix de l'été. Et pourquoi pas les deux ? Pourquoi opposer la sieste sur la plage ou au bord de la piscine aux sorties d'entraînement ou de découverte de la région ? Ceux qui parlent toujours de « ne pas bronzer idiot » ne connaissent rien du plaisir de se détendre face à la mer ou d'un autre plan d'eau, dans le calme, sans rien avoir à faire. D'autant que vous sortez peut-être d'une longue période d'activité avec surcharge de travail, de charges familiales et d'entraînement sportif : tout ensemble, cela fait beaucoup ! Alors profitez-en pour décompresser, loin des difficultés.

– **Quand vous roulerez**, effectuez de courtes pauses ou arrêtez au moins de pédaler afin de profiter de la nature. Ce qui n'empêche pas de préparer les épreuves de fin de saison, en vous entretenant, voire en prenant part à de petites épreuves ou randonnées organisées dans la région de vos vacances.

– En cas de mauvais temps, surtout d'orages, restez à la maison, ne prenez aucun risque ; reposez-vous « activement » avec étirements, abdominaux, en attendant des temps meilleurs.

– Il fait chaud :

méfiez-vous des glaces et boissons gazeuses,

roulez le matin ou en fin d'après-midi,

ménagez-vous des moments de repos (sieste au moment le plus chaud),

buvez frais mais non glacé,

prévoyez deux ou trois bidons ou un réservoir sur le dos,

aspergez-vous souvent en cours de route.

– Avant de partir en vacances :

renseignez-vous sur le relief,

prévoyez des braquets en conséquence, sinon vous risquez de devoir courir après le seul vélociste de la région, souvent débordé en cette période. Pour la route, prévoyez le triple plateau afin de pouvoir passer partout !

5 - *PROLONGEZ VOTRE FORME DE L'ÉTÉ*

Finies les vacances ! Vous voici de retour, tout beau, toute belle, en forme. Mais d'un seul coup le moral en prend un coup, et avec la reprise du « boulot », le stress est au rendez-vous. Fauché comme on l'est toujours au retour des vacances, vous contemplez les factures qui s'entassent… Quelle stratégie personnelle pouvez-vous élaborer en vue de cette difficile période de réadaptation à la vie « civile » ?

– Pensez aux autres ! À ceux et celles qui n'ont pas pris de vacances ou n'ont pu partir loin de chez eux.

– Les congés passés, une nouvelle chance s'offre à vous. L'automne est une magnifique période pour se balader en pleine nature avec des couleurs splendides ; et pour les coureurs comme pour les cyclo-sportifs, les compétitions prenant fin, il est possible de refaire de l'entraînement foncier sans avoir devant soi aucun impératif de calendrier.

– **Positivez !** Non à la morosité des lieux de travail et des visages renfrognés dans les transports en commun. La moitié de la planète s'étripe à qui mieux mieux, et vous vous plaignez encore ?

– **S'il reste des compétitions ou des rallyes**, allez-y en décontraction. Choisissez des épreuves pas trop loin de chez vous, essayez d'aller découvrir celles que vous ne connaissiez pas encore.

– **Durant la semaine**, n'arrêtez pas de vous entraîner, roulez moins, mais à un bon rythme : les épreuves de fin de saison s'avèrent souvent rapides (absence de chaleur) et vous bénéficiez des « bornes » accumulées depuis le début de saison.
C'est le bon temps des « vélosportives » ou des « gentlemen ». Et se maintenir en forme en prévision des vacances de neige est (déjà) un objectif raisonnable.

– **Le temps commence à être frisquet :** vêtez-vous en conséquence au niveau des membres inférieurs (sinon risques ultérieurs d'ennuis musculaires voire articulaires). Et l'intersaison est celle des rhumes de cerveau attrapés dans les courants d'air.

– **Pendant les vacances** vous rouliez chaque jour, aujourd'hui vous reprenez une activité plus sédentaire. Adaptez votre alimentation. Mangez plus au petit-déjeuner pour tenir le coup en cours de journée, surtout si, les jours étant plus courts, vous vous débrouillez pour trouver un moment de libre en milieu de journée pour rouler ou pratiquer une autre activité sportive.

– **Maintenez** une bonne quantité de fruits et légumes frais, prenez plus de laitages, ne vous bourrez pas de pâtes sans nécessité, au détriment des légumes.

– **Établissez le bilan** de votre saison écoulée : succès, échecs, progression ou stagnation des performances. Tirez-en les leçons pour la saison suivante : par exemple, espacez plus les dates des épreuves difficiles, afin de mieux récupérer. L'an prochain, vous en ferez moins, mais vous le ferez mieux.

– **L'automne** est la période des salons du cycle : les nouveautés techniques apparaissent à ce moment-là. Informez-vous en lisant les magazines spécialisés route ou VTT, et déplacez-vous si un salon ne se tient pas trop loin de chez vous. À défaut, renseignez-vous afin de savoir quand les nouveautés valables vont arriver chez votre vélociste habituel. Une fois montées sur votre vélo, rodez-les à l'entraînement en début de saison.

– **La fin de saison** ne doit pas devenir une période de déprime. Profitez-en pour améliorer votre « foncier » en parcourant autant de kilomètres chaque semaine avec moins de séances compte tenu des intempéries et du peu de temps disponible.

– **Pensez aux fêtes de fin d'année** : de nouveaux congés peut-être, c'est un moment de l'existence où l'on est toujours plein d'ambition et de bonne volonté. À vous les bonnes résolutions !

6 - JEUNES : NE PAS LES « TUER »

Si Anquetil gagnait le Grand Prix des Nations devant Coppi à 19 ans, Merckx était champion à 15 ans. Mais l'année de ses 16 ans, il ne disputa que 14 courses. À cette époque, le Dr Dumas, médecin chef du Tour de France, fit remarquer : « Pour un Merckx, combien de gamins ont brûlé les étapes et se sont usés parce qu'ils ne possédaient rien de ce qu'il fallait pour souffrir pédales aux pieds. » (Cyclisme-Magazine).

Pour un phénomène, combien de jeunes que l'on « tue » ! Le Dr Dumas poursuivait : « Lorsqu'on pousse les jeunes à se livrer, de toute leur force mal entraînée, à un effort cycliste, un des plus violents qui soit, on les dirige presque immanquablement vers le dégoût rapide de la compétition cycliste. Pour qu'un sport soit éducatif, celui-ci ne doit être pratiqué que progressivement » .

Des propos toujours d'actualité, même si le sport scolaire et universitaire a notablement évolué en passant des seuls exercices de résistance (vitesse) aux exercices d'endurance couplés avec ceux de résistance. L'entraînement long risque de le lasser : choisissez-lui des parcours variés, agréables, et surtout sécuritaires. Le pouls maximum d'un enfant de 10 ans se situe autour de 200 BPM (battements par minute) ; il est bon qu'il ne dépasse point 160 à 170 à l'entraînement.

• *Alors que faire ?*

– Ne rien imposer aux jeunes enfants.

Ils veulent jouer. À dix ans, 20 à 30 km sont un maximum. Qu'ils s'adonnent aussi à d'autres activités : ballon, natation, éducation physique, bicross, patinage, ski alpin ou de randonnée. Ne les forcez pas durant leur croissance : un cœur forcé est un cœur malade, et mentalement les jeunes talents forcés arrivent saturés de vélo vers 18/20 ans. Enfant, une suggestion : emmenez-le en tandem ; ainsi, vous réglez son allure, pas sur la vôtre, bien sûr… Cela suppose un tandem où la place du passager est à sa taille : la hauteur de la selle devra lui permettre d'avoir le genou légèrement plié au moment de l'extension maximum de la jambe.

– Ne les maintenez pas en serre chaude.

À l'écart du reste des activités de loisir, culturelles et sociales. C'est le meilleur moyen pour qu'ils « plantent » tout à 20 ans.

– Parents, ne cherchez pas à vous réaliser à travers eux.

Rien de plus attristant que ces pères et mères faisant tout et n'importe quoi pour que leur enfant réalise les exploits sportifs qu'ils n'ont pu accomplir jadis. Lamentable le ballet des parents intriguant aux alentours des lignes d'arrivée !

– Dirigeants, ne les utilisez point pour vos ambitions personnelles.

Que ne feraient pas certains animateurs de clubs pour se valoriser, se faire « mousser » pour remporter à tout prix un challenge utile afin d'obtenir une subvention de la municipalité ou monter en grade dans ledit club ou la fédération nationale !

– Ne considérez pas un sujet doué comme exceptionnel.

Au point de ne pas le mettre sur le même plan que les autres. Soit on l'entraîne peu, les efforts étant réservés aux types réputés peu (ou pas) doués ainsi qu'au seul jour de la course, soit on le force. Certains anciens surdoués poursuivent leur carrière sportive dans l'anonymat, souvent classés dans les « etc. » quand ils n'abandonnent pas avant l'âge.

Ultime remarque, la faible participation des jeunes de moins de 17/18 ans en cyclotourisme comme en cyclosport, alors qu'explosent littéralement les chiffres de participation des vétérans dans les grands sports de masse (cyclosport, marathon, ski de fond…) : le vélo deviendra-t-il un sport de papys ?

7 - MEILLEURS VIEUX !

La retraite, oui, mais pédales aux pieds…

Les précédentes générations ont vécu sur le mythe du « repos bien mérité » : la retraite venue, et même avant au niveau sportif, on était « fini ». Un sportif de haut niveau se faisait vieux à partir de la trentaine. Comme on n'atteint pas la maturité physique avant au moins 20 ans, compte tenu de l'expérience à acquérir pour devenir un bon compétiteur, les carrières sportives apparaissaient courtes.

● *Trois cas se présentent aujourd'hui :*

– Celui de la personne qui, jusqu'à 40 ans, s'est occupée uniquement de se bâtir une carrière professionnelle non sportive, jusqu'au jour où elle mesure l'ampleur des dégâts (tour de taille, masse adipeuse, excès de cholestérol, hypertension, essoufflement pour une simple grimpée d'escalier). La retraite, ou préretraite forcée en cas de chômage, intervient comme une cassure brutale : perte de revenus, changement de mode de vie, perte d'amis, du logement de fonction donc changement de résidence sinon de région ; une situation vécue comme une phase négative, avec risque de repli sur soi, de désintérêt vis-à-vis du monde extérieur (l'égoïsme des vieillards avant l'âge). Passivité, inertie prennent le pas.

– L'ancien champion ou sportif de bon niveau qui vieillit mal

Quand il ne peut plus briller, il va négliger l'activité physique, s'enterrer au milieu de ses souvenirs, astiquer ses coupes à longueur de journée, verser une larme sur des diplômes jaunis, raconter à son entourage pour la millième fois ses souvenirs comme les anciens combattants, leur bataille. De son temps « c'était autre chose ». Il accepte mal de voir les jeunes talents briller comme il le fit jadis et les critique sans cesse. Mal dans sa peau, il subit dès l'arrêt de la compétition « le syndrome du désentraînement », avec troubles physiques et psychologiques. Le seul remède est la reprise d'une activité sportive. Or le sport, qui sur le plan cardio-vasculaire offre le maximum d'avantages et le minimum de risques, est le vélo. Soit il faut continuer à le pratiquer au ralenti, soit il faut le reprendre progressivement en sortant avec les « cyclos » et plus tard peut-être en prenant part à des « vélosportives », voire des « cyclosportives » (épreuves plus longues).

Nombre d'anciens champions nous confient : « De notre temps, à 35 ans, il n'y avait plus rien » . Aujourd'hui, l'essor du vélo loisir permet de prendre part, sur la route ou en VTT, à des épreuves populaires accessibles au plus grand nombre, sans danger (au contraire) pour la santé, à condition de se montrer raisonnable lors de cette seconde carrière. Quand à 40, 50 ou 60 ans, de retour sur la scène sportive (oubliant vos performances d'antan), vous direz à vos amis après une épreuve ou un grand brevet « Tiens, par rapport à l'an dernier, je suis drôlement en progrès », ce sera gagné !

– Le sportif, champion ou non, qui n'a jamais arrêté

Souvent il a choisi, comme bon exutoire, de rester dans son sport, sa grande carrière terminée : comme entraîneur ou animateur de club, comme employé dans une maison d'articles de sport. Et à ce titre, il n'a pas remisé la tenue de sport au rayon des pièces de musée… Avec l'essor du cyclisme de masse, il découvre jour après jour de nouveaux champs d'action, de nouveaux horizons, de nouvelles émotions ; d'autant que les retraités disposent d'une chance unique que les jeunes leur envient, le temps libre.

L'auteur figurant dans cette dernière catégorie, cela nous permet d'en parler en connaissance de cause. Pour continuer à pratiquer le sport presque chaque jour à bonne dose, il suffit de ne pas faire attention à ceux et celles (non sportifs) qui vous prennent pour un original : passée la cinquantaine, les types « normaux » seraient ceux qui se contentent de promener leur chien, un béret sur la tête, la baguette de pain sous le bras, le ventre bien arrondi, occupant leurs loisirs à taper la belote avec les anciens du coin entre deux apéros et quelques cigarettes…

Il suffit aussi (et surtout) d'observer **une bonne hygiène de vie, pas de régime mais une alimentation équilibrée,** des phases de repos suivant immédiatement celles d'efforts importants, des soins suivis (étirements, massages), un contrôle médical régulier (ECG annuel, entre autres), des compétitions choisies à bon escient et en nombre plus limité qu'autrefois, un entraînement axé essentiellement sur l'endurance, aucune coupure hivernale (avec ski de fond, gym, natation…) afin de ne pas avoir à mettre les bouchées doubles en janvier et février, pratique de sports de complément (non en supplément) tels que natation, jogging, VTT (pour qui fait de la route avant tout).

Pour qui débute le vélo après 40 ans, après avoir pratiqué d'autres sports, surtout ceux où prime l'endurance comme la course à pied, le ski de fond, la randonnée pédestre, l'acclimatation au cyclisme sera facilitée.

Souvent, c'est plus la lassitude psychologique, la nécessité de faire des sacrifices quotidiens des années durant qui a incité un sportif à abandonner la compétition ; plus que l'impossibilité physique d'accomplir encore des performances. Pour beaucoup, la reprise ou la poursuite de la compétition sous une autre forme, moins poussée comme elle l'est chez les « cyclos », ne présentent donc pas de grosses difficultés. Le pouls restera aux alentours de 90 à 120 BPM durant une douzaine de semaines avec des sorties de 40 à 50 km maximum, pour qui redémarre, avant de passer à des distances plus longues à 70 ou 80 % de la fréquence cardiaque maximale pour un entraînement presque quotidien, avec alternance de sorties dures et moins dures.

• *Ultimes conseils :*

– **Pratiquez la culture physique** avec des étirements/assouplisse-ments, une musculation légère (abdos, petits haltères), pas d'espalier.

– **La récupération des efforts n'est pas moindre avec l'âge**, contrairement à ce que l'on entend dire, le problème étant généralement mal posé ; le problème des « anciens » est que, sauf exception, ils ne s'entraînent plus comme jadis, donc ils ressentent plus la fatigue. Mais nous connaissons des vétérans capables d'aligner aisément longues distances sur longues distances d'une semaine à l'autre. La raison : ils s'entraînent presque autant que les jeunes !

Chapitre *III*

Connaître votre VO2 et tirer parti de votre cardio-fréquencemètre

Vous disposez d'un instrument remarquable, le Cardio-Fréquencemètre (CFM), qui vous permet – à tout moment – sur le vélo comme hors du vélo, de surveiller votre rythme cardiaque (les BPM, Battements par minute).

À la condition de savoir vous en servir… en connaissant de façon précise, au moins :
– votre pouls habituel au repos,
– votre FC Max (Fréquence Cardiaque Maximale),
– votre seuil aérobie/anaérobie,
– vos paramètres respiratoires.

Une fois sur le vélo, votre rythme respiratoire est à coupler avec le rythme de pédalage, une donnée bien plus importante sur le plan physiologique que la vitesse ou le kilométrage déjà effectué.

Mais, pour mettre au point cette nouvelle manière de pédaler, plus rationnelle, plus efficace, il vous faut consulter un **médecin physiologiste** afin d'effectuer un test d'effort (ECG + VO Max).

En effet, aujourd'hui, **c'est au médecin et non plus seulement à l'entraîneur (si vous en avez un) de vous indiquer comment vous entraîner** pour progresser à partir du moment où il a pu détecter quelle est votre « cylindrée » .

1 - UN PEU DE VOCABULAIRE MÉDICO-SPORTIF...

▶ VO2 Max

C'est la capacité maximale d'absorption d'oxygène. Elle dépend de l'aptitude de l'organisme à prélever, transporter et distribuer l'oxygène nécessaire aux masses musculaires en action. Elle permet d'apprécier la cylindrée de la personne concernée. La VO2 atteint sa valeur maximale vers 18-20 ans, tend à diminuer pour atteindre à 65 ans 75 % de sa valeur à 20 ans ; l'entraînement peut augmenter la VO2 Max de 10 à 15 %. La VO2 dépend du potentiel énergétique, c'est-à-dire de facteurs constitutionnels, de l'importance de l'entraînement sportif, de l'état de l'appareil respiratoire, du débit cardiaque maximum et de l'utilisation périphérique de l'oxygène par le travail musculaire.

Améliorer votre VO2 signifie, grâce à l'entraînement, accroître votre possibilité de vous servir aussi longtemps que possible d'une part de plus en plus importante de la capacité maximale. Quand vous débutez dans le vélo, vous utilisez peut-être la moitié de votre capacité maximale, alors qu'une fois entraîné vous serez en mesure de vous en servir à raison de 80 %, voire beaucoup plus. Et vous l'utiliserez d'autant mieux que moindre sera votre masse graisseuse : perdre du poids ne signifie pas uniquement ne plus transporter des kilos inutiles.

Plus votre VO2 sera élevée, plus vous aurez de chance de rouler vite plus longtemps. Le test d'effort pour la déterminer s'effectue sur un vélo médical (statique) ou sur un vélo à vos mesures, immobilisé sur un dispositif permettant d'appliquer des forces de freinage programmables, donc des puissances précises. L'important est que le test se déroule dans des conditions aussi proches que possible de celles de la compétition. Les paramètres respiratoires sont contrôlés par un masque. De 30 millilitres au moins par minute et kilogramme de poids corporel (sujet peu entraîné), la VO2 passe à 50 ou 60 (sujets moyennement entraînés ou vétérans entraînés) et à 80, voire plus, pour les champions de haut niveau.

Venant après le test de Ruffier-Dickson (30 flexions en 45") avec mesure de la fréquence cardiaque et de la pression artérielle, puis enregistrement de l'électrocardiogramme, l'épreuve d'effort maximal sur simulateur permet d'obtenir la VO2 Max, la fréquence cardiaque maximale, le seuil aérobie/anaérobie, ainsi que les forces et puissances développées lors de chaque coup de pédale droit et gauche du cycliste. Les cyclistes obtiennent leur VO2 sur un vélo, non sur un tapis roulant comme les coureurs à pied et les skieurs de fond.

▶ Aérobie

Le travail entre 60 et 80 % de la Fréquence Cardiaque Maximale (FC Max). La majeure partie des entraînements s'effectue en aérobie. C'est aussi le maximum de fréquence cardiaque autorisée généralement par le corps médical dans les cas de convalescence, de rééducation ou de déficiences cardio-vasculaires. C'est l'entraînement dit « en endurance ». L'essoufflement est faible : vous devez pouvoir discuter avec un autre cycliste, tout en pédalant.

▶ Anaérobie

Le travail plus intense au-delà de 80 %.

Le seuil aérobie/anaérobie est celui à partir duquel on arrive à une production trop élevée d'acide lactique, ce qui a pour cause une fatigue insupportable. À ce stade, **la production d'acide lactique augmente plus vite que la capacité de l'organisme à le recycler.** Le déficit en oxygène résulte de l'inertie d'adaptation du système d'échange gazeux au niveau musculaire.

▶ Acide lactique

En endurance et résistance douce, sa production est faible ; en résistance moyenne et dure (anaérobie), sa production atteint des niveaux élevés, variables selon les individus. Inversement, le travail en « anaérobie alactique » étant court et violent (sprint, effort maximum sur une courte période), il n'amène pas de production d'acide lactique.

▶ Vitesse maximale aérobie (VMA)

La VMA est atteinte avec la limite de tolérance de l'acide lactique dans le sang, souvent aux environs de 8 à 10 mmol (millimoles) ; elle s'exprime en km/h. La VO2 Max est atteinte au même moment que la VMA.

▶ Puissance maximale aérobie (PMA)

La consommation d'oxygène augmente proportionnellement à la puissance d'exercice fournie, mais à partir d'une certaine limite appelée « PMA », elle ne progresse plus. La PMA est la puissance la plus faible par laquelle la VO2 Max est atteinte, et tout exercice correspondant à cette puissance est dit maximal.

La PMA s'exprime en watts.

▶ Fréquence Cardiaque Maximale (FC Max)

La fréquence cardiaque maximale peut se vérifier sur le terrain, ainsi lors d'un effort intense et prolongé : longue côte à vitesse élevée derrière un cycliste plus fort que vous. À partir d'un certain moment le chiffre indiqué par le CFM ne s'élève plus. Il est important d'utiliser un CFM : en effet, il faut se méfier des sensations personnelles ; on se trompe souvent en minimisant la fréquence de son pouls, d'où pour certains des accidents cardiaques possibles. Or cette fréquence fait partie des indicateurs de la forme et des niveaux d'entraînement à observer pour progresser.

À noter : une fréquence cardiaque plus élevée en cas de fatigue, de fièvre.

On calcule souvent la FC Max selon la vieille formule : 220 - l'âge. Soit pour une personne de 40 ans : 220-40 = 180 BPM. Mais cette formule, héritée de la médecine du travail, semble valable pour des sédentaires, moins pour des sportifs entraînés. **Une FC Max précise s'obtient donc par test d'effort sur ergocycle.** Connaissant sa FC Max, on installe sur son vélo (ou au poignet) un CFM avec alarme sonore : les CFM perfectionnés permettent de programmer les entraînements en aérobie et anaérobie, en y entrant les minima et maxima à ne point transgresser. En dessous du seuil on ne fait pas progresser son système cardio-vasculaire, au-dessus du seuil, on court au surmenage, voire à l'accident cardiaque. C'est pourquoi on utilise l'expression « travail au seuil » au sujet de l'entraînement poussé aux limites de ses possibilités.

▶ Fréquence Cardiaque de Repos (FCR)

Établissez une moyenne sur cinq jours avec prise du pouls (si possible par CFM) au réveil après être demeuré étendu au repos total durant cinq minutes.

▶ Fréquence Cardiaque de réserve

La différence entre la FC Max et la FCR.

▶ Intensité relative de l'effort

Quand nous disons « entraînez-vous entre 60 et 80 % de la FC Max », par exemple, cela ne signifie point affecter la FC Max d'un tel coefficient multiplicateur. Les choses sont moins simples ! S'entraîner à 80 % veut dire pour une FC Max de 195 et une FCR de 50, déterminer la Fréquence Cardiaque de Réserve (195 - 50 = 145), puis prendre 80 % de 145 soit 116 et lui ajouter 50 = 166. Voici le niveau auquel vous devez vous entraîner.

▶ Pouls au repos

Vous pouvez, à tout moment de la journée, n'importe où, effectuer ce test de votre condition physique. La prise de pouls par appareil ou avec une montre (en comptant vos pulsations sur 30 secondes, et en multipliant le chiffre obtenu par 2) est le test le plus banal et le plus simple, non le moins utile.

En période de gros entraînement ou au lendemain d'une épreuve, la prise de pouls au réveil permet d'avoir un premier aperçu de votre récupération.

Si le pouls reste à un rythme supérieur à la normale, on peut avoir à en parler à son médecin. Mais le pouls n'est qu'un indice parmi d'autres : le poids (amaigrissement excessif), une pâleur anormale, des traits tirés à l'excès, une langue chargée (très blanche), des courbatures dans tout le corps (surtout dans les membres inférieurs) qui au bout de plusieurs jours ne passent pas, surtout une sensation de fatigue générale qui perdure, ces éléments doivent aussi être pris en considération.

Avec l'amélioration du niveau d'entraînement, le nombre de pulsations cardiaques doit diminuer ; mais cela ne se fait pas en un mois ou deux, le cœur étant un muscle qu'il faut développer progressivement, sans le forcer. Et méfiez-vous de la brusque baisse de tension : un jour, suite à un dimanche difficile pour cause de méchantes grimpettes, notre pouls était tombé à 38, celui d'un vainqueur (potentiel !) du Tour de France. Croyant le jour de gloire arrivé, à peine mîmes-nous le pied hors du lit que le sol sembla se dérober sous nos pieds. De 130 (maxi) en période de grande forme, notre tension venait de chuter à 90 : une semaine de **repos physique** complet et un solide antiasthénique (fortifiant) ne furent pas de trop avant de remonter sur le vélo, et en douceur au début...

2 - *LE CARDIO-FRÉQUENCEMÈTRE (CFM)*

Si le cœur est capital, il n'est pas tout : les autres sensations comptent, telles que la fatigue ressentie dans les membres inférieurs, le dos, les épaules, sans parler des troubles dûs à l'hypoglycémie (suite à une mauvaise alimentation). Ayez donc l'œil sur votre CFM, sans avoir le regard rivé sur lui en permanence, sans croire que tout le secret de votre réussite passe par lui.

N'utilisez pas n'importe quel CFM. Prenez un appareil dont les données sont totalement fiables : celui **avec un capteur sur la poitrine** l'est plus que tout autre système actuellement proposé.

▶ CFM au guidon ou sur le poignet

– **CFM avec compteur au guidon** (si possible sur la potence afin de libérer le cintre au profit des mains). Ce type de CFM, conçu spécialement pour le vélo, indique en outre : vitesse, kilométrage (partiel, total), moyenne horaire, cadence de pédalage, outre l'heure et le chrono, etc... Attention à ne pas le laisser au guidon lors des arrêts (risque de vol).

– **CFM avec compteur au poignet,** comme une montre, évidemment non relié au vélo. Avantage : utilisable pour d'autres sports (ski, natation, course à pied, exercices physiques en salle, etc.) et hors du sport, en particulier pour la prise du pouls au réveil.

Si vous en restez à la vieille méthode du pouls pris à la main, vous avez le choix entre :

– **Poignet** (du côté du pouce), **cou** (à la carotide). Le plus facile est la prise à la base du pouce avec le majeur et l'index. Gare à la marge d'erreur : en cours d'effort, la fréquence cardiaque s'abaisse immédiatement, dès l'arrêt, et d'autant plus vite que le cœur est plus entraîné. Prenez votre pouls sur 30 secondes et multipliez par 2.

– **Sur un carnet (celui d'entraînement si possible),** notez votre fréquence au repos, ainsi qu'à certains moments de votre entraînement. Le CFM vous permettra d'éviter les excès : ainsi les sorties en vélo à rythme trop intense compte tenu de votre niveau (actuel) autant que de votre potentiel, surtout les accélérations brutales quand vous n'êtes pas encore échauffé. Cet échauffement sera effectué progressivement jusqu'à 60 % de la FC Max pour s'achever par quelques accélérations (courtes) à 80 % afin de vous trouver plus vite dans le coup en cas de départ rapide de l'épreuve.

▶ Échauffement

En haute compétition, l'**échauffement** pour les contre-la-montre s'effectue en partie sur entraîneur : ne serait-ce que pour des raisons pratiques et de sécurité (difficulté de trouver à proximité une route dégagée pour rouler à un rythme élevé, outre le risque de crevaison susceptible de faire arriver le coureur en retard sur la ligne de départ !). Le CFM est indispensable en ce cas afin de faire monter les pulsations le plus progressivement possible, en tenant compte que, de lui-même, avant de pédaler, le stress précédant la compétition est susceptible de faire monter la fréquence cardiaque jusqu'à 150 BPM. Personnellement, de 40 au repos, nous sommes toujours aux alentours des 100-110 BPM sur la ligne de départ d'épreuves où, pourtant, nous ne nous prenons pas la tête : c'est comme ça… En résumé, **consacrez 10 % de votre temps d'entraînement à l'échauffement, autant à la période de retour au calme.** Votre cœur vous dira merci.

▶ Récupération

Après une épreuve terminée à grande vitesse, comme le cœur n'aime pas les décélérations brutales, allez rouler quelques minutes à faible allure, même si vous ressentez une grande fatigue : vos membres inférieurs aussi se remettront plus vite que si vous arrêtez tout dès le passage de la ligne d'arrivée.

À l'époque où les voitures étaient rares, les anciens coureurs racontent qu'ils ne connaissaient pas ces problèmes d'échauffement puis de récupération : par obligation ils devaient aller en vélo jusqu'à la gare, monter le vélo dans le train, puis pédaler de la gare d'arrivée au lieu de départ de la course, quand ils ne devaient pas (faute de train !) se rendre en vélo de leur domicile au départ de la course, avec le retour en plus (toujours en vélo). Au total, ils devaient parcourir des dizaines de kilomètres en plus de la course. Alors, quand ils voient, de nos jours, des cadets amenés par la grosse limousine de papa à 50 m de la ligne de départ, puis « exploser » dès la première bosse faute d'échauffement, cela les fait doucement rigoler. Certains s'inspirent de la bonne vieille méthode des anciens en descendant de voiture à quelques kilomètres du départ pour effectuer le reste du trajet en vélo, ce qui suppose une personne pour prendre le relais au volant.

Dès la fin de l'entraînement ou de l'épreuve, notez votre fréquence cardiaque immédiatement après, puis 5 minutes plus tard : si elle dépasse 100 BPM, votre effort a peut-être été trop intense et vous récupérez mal. De temps en temps, il peut se révéler utile d'imaginer votre chrono sur une distance donnée sans consulter le compteur, sinon pour vérifier après coup la justesse de votre estimation. Vous devez arriver à estimer (approximativement) votre moyenne horaire et même vos BPM.

▶ Utilité en matière de mécanique

Le CFM peut se révéler utile également : pour essayer un nouveau vélo ou de nouveaux composants comme des roues pleines ou à bâtons, des rayons plats, des jantes ovalisées, des pneus ou boyaux différents, etc. Roulez à chaque fois dans des conditions identiques : mêmes itinéraires, mêmes distances, mêmes conditions atmosphériques (ça c'est plus difficile). Le CFM peut vous aider dans le choix du matériel le plus performant, à condition, pour éliminer les risques d'erreur, de répéter les exercices et d'établir une moyenne sur plusieurs essais.

Utile rappel, votre précieux CFM ne vous sert à rien (ou presque) si vous ne connaissez pas votre seuil aérobie/anaérobie et votre FC Max !

Bienvenue à bord :

– Outre votre compteur multi-fonctions, vous disposez d'un CFM, encore devez-vous savoir l'utiliser.

– Fixez la ceinture autour de votre poitrine, sous les mamelons pour les hommes, sous les seins pour les femmes, pas trop serrée (cela gêne la respiration), mais suffisamment (sinon la ceinture descend et le CFM ne fonctionne plus).

– Après usage, rincez la ceinture à l'eau douce tiède pour éliminer la sueur, laissez sécher.

– Attention aux fortes chaleurs comme aux grands froids : risque de BPM à un niveau plus élevé que la normale en cas de gros efforts.

3 - ÊTES-VOUS APTE À L'EFFORT CARDIO-RESPIRATOIRE ?

▶ Test de Ruffier-Dickson

Une fois par semaine, un test peut vous donner une (certaine) idée du niveau d'adaptation à l'effort et de récupération de votre cœur.

Prenez votre pouls (P), notez-le. Effectuez 30 flexions sur les membres inférieurs en l'espace de 45 secondes. Prenez immédiatement votre pouls (après cet effort relativement intense) durant 15 secondes (P'). Une minute plus tard, reprenez votre pouls durant 15 secondes (P'').

Formule du test de Ruffier-Dickson

$$\frac{(P'-70) + 2(P''-P)}{10}$$

Avec + de 8 : niveau faible.

De 6 à 8 : niveau moyen.

De 3 à 6 : bon.

Moins de 3 : très bon.

P' ne doit pas dépasser 2P (le pouls qui double à l'effort signifie un cœur faiblement entraîné). P'' doit se situer très près de P : si le pouls ne revient pas près de son niveau de départ après une minute de récupération, le cœur manque d'endurance. P'' ne doit pas se montrer supérieur de plus de 20 pulsations à P. Une personne entraînée voit son pouls revenir à son rythme de départ, voire à un rythme inférieur. D'où, si P'' est inférieur à P, la formule :

$$\frac{(P'-70) - 2(P-P'')}{10}$$

Quand vous débutez dans le vélo, il est souhaitable que votre fréquence cardiaque au repos avoisine les 65 BPM. Les bradycardes (personnes au pouls très lent, moins de 50, par opposition aux tachycardes, personnes au pouls très rapide) en héritent généralement de naissance : on rencontre des familles de bradycardes (comme celle de l'auteur). Ne croyez pas que cela les dispense de s'entraîner !

Mais une personne avec un pouls à 80 au repos n'est pas condamnée pour le sport : le vélo, sur des distances de plus en plus longues, en moulinant à un rythme assez élevé (80 à 100 tours/minute avec un braquet de 42/16 ou 18 sur le plat), renforcera progressivement le cœur, ce qui peut contribuer à baisser la fréquence de repos. Inconvénient du test de Ruffier-Dickson, le trac peut augmenter le rythme cardiaque : au point que **le trac d'avant le départ d'une épreuve participe à l'échauffement** en préparant le cœur à un départ rapide. Ne vous livrez pas à ce test pendant les 2 heures suivant la fin d'un repas : durant la digestion le pouls s'élève étant donné l'effort demandé à une partie de l'organisme.

▶ Test du tabouret

Montez sur un tabouret de 50/80 cm de haut (20 pouces) toutes les 2", la fréquence étant réglée par un métronome ou un chrono.

1 – Mettez un pied sur le tabouret.

2 – Montez dessus et mettez l'autre pied.

3 – Remettez un pied au sol.

4 – Abaissez l'autre pied au sol, corps droit.

Chacun des 4 mouvements dure une demi-seconde.

Durée de l'exercice : 5 minutes, au bout desquelles vous vous asseyez pour prendre votre pouls durant les 30 premières secondes de chacune des 3 minutes qui suivent la fin de l'exercice (P1, P2, P3). La formule est :

$$\frac{\text{temps du test en secondes} \times 100}{(P1 + P2 + P3) \times .2}$$

Moins de 60 : très faible

60 à 70 : faible.

70 à 80 : moyen.

80 à 90 : fort.

Plus de 90 : très fort.

Ce test fut imaginé au cours de la 2e Guerre Mondiale pour les commandos de choc des Marines. Après ça, si vous n'êtes pas d'attaque…

4 - Comment surveiller votre tension ?

La prise de tension par le médecin fait partie de la plupart des consultations médicales : en associant la tension à d'autres éléments, on se fait une opinion sur l'état de santé de la personne concernée.

La prise de tension par vous-même figure parmi les moyens de contrôler à tout moment votre forme avant d'aller consulter le médecin en cas de tension anormale ; celui-ci reste seul qualifié pour effectuer un diagnostic.

L'appareil traditionnel comporte un manomètre avec une poire de gonflage et une soupape, un brassard avec membrane d'écoute pour le stéthoscope, celui-ci ayant un dispositif de fixation sur le brassard. Le brassard recouvre le bras gauche au-dessus du coude, la membrane du stéthoscope étant placée sur l'artère du bras. Les bandes du brassard rabattues pour fermeture sans pression sur l'artère, le bras gauche sera posé sur une table, décontracté. Placez les écouteurs du stéthoscope sur les oreilles. Gonflez le brassard avec la poire en vous arrêtant quand le manomètre indique la pression 200, voire plus si la tension maximale s'avère plus forte.

Un système de dégonflage permet de laisser filer lentement l'air ; quand la pression à l'intérieur du brassard est égale à la tension artérielle, le sang se remet à circuler, ce qui provoque un souffle (pulsations cardiaques) que vous entendez distinctement au stéthoscope. Le premier souffle entendu est la **tension artérielle maximale (ou systolique), le dernier souffle est la tension minimale (ou diastolique)**. Le plus difficile est de bien savoir lire le premier souffle pour ne pas se donner une tension maximale supérieure à celle du moment.

L'appareil électronique est plus facile d'utilisation et le risque d'erreur est pratiquement nul puisque la tension s'affiche sur un écran.

La tension peut varier au cours de la journée, selon la condition physique et psychique, par exemple :
– après être resté étendu un bon moment,
– après un effort sportif de plusieurs dizaines de minutes au moins,

vos artères se dilatent, entraînant une baisse de tension pas forcément liée à une fatigue significative.

• *Les données habituelles pour adultes :*
   – de 90 à 130 (maxi) et de 60 à 85 (mini),
   – augmentation dans les deux cas à partir du 3e âge,
   – baisse de la tension lors du sommeil,
   – au cours d'un effort intense, la tension maxi peut grimper à 180 ou 200 avec une mini à 90 ou 100 (ainsi lors de notre ECG d'effort annuel notre tension sur le vélo médical passe de 115 à 185 pour redescendre à 110 quelques minutes après la fin de l'exercice),
   – **les sujets physiquement entraînés** ont une tension en principe plus basse que les autres.
   – **l'hypertension a cours** si la diastolique dépasse 90 : voir votre médecin.
   – **l'hypotension est normale après un effort important** et peut se poursuivre les jours suivant une épreuve. Jusque-là, rien d'anormal : au fur et à mesure de votre récupération, votre tension doit remonter.
   – **avec une hypotension prolongée**, consultez votre médecin : sans doute êtes-vous fatigué et celui-ci, outre du repos physique (pas ou peu de vélo) vous prescrira peut-être un anti-asthénique capable de contribuer à la remontée de la tension ; c'est un médicament bénin, non dopant, mais à ne pas utiliser généralement durant plus de 10 jours. Attention : **les médicaments susceptibles de remonter la tension (et utilisés quotidiennement en médecine) comportent généralement une substance dopante** ; les sportifs doivent le savoir et signaler au médecin leur qualité de sportifs afin qu'il leur prescrive autre chose.

5 - L'ÉLECTROCARDIOGRAMME *(ECG)* ANNUEL

L'examen simple, peu onéreux, à passer une fois par an, par exemple avant le début de la saison.

Le Dr Roland Mathieu, du Centre Médico-Sportif de Lyon, insiste sur sa nécessité : « Il fait partie de l'examen sportif, au même titre que l'examen clinique, puisque l'auscultation du cœur sert uniquement à voir si les valves cardiaques ferment bien ; mais celle-ci ne voit pas les problèmes de coronaires, ni si la boîte à rythme fonctionne correctement. Pour cette raison, il faut procéder à un ECG au repos suivi d'un ECG d'effort. Ce dernier décèle si les troubles visibles au repos s'aggravent ou se corrigent, ou si apparaissent de nouveaux troubles. L'ECG de repos décèle si la boîte à rythme fonctionne bien et si le cœur est nourri complètement par les artères coronaires, ce qui n'est pas le cas avec l'artériosclérose des non sportifs. »

- *À noter également :*

   – « **Pour être complet on peut ajouter une électrocardiographie** qui mesure les parois du cœur afin de voir ses volumes, car le cœur est une pompe. »

   – **Un ECG d'effort annuel est suffisant**, « mais on en refera un plus rapproché si une personne se plaint de palpitations ou si elle se sent anormalement fatiguée avec accélération du rythme cardiaque (tachycardie). »

   – **La VO2 Max est** « **un test complémentaire** qui permet de découvrir, par exemple, qu'une personne qui n'arrive pas à faire monter ses pulsations est victime d'une petite anomalie cardiaque. Une petite VO2 chez une personne de bon niveau sportif, ce n'est pas normal », ajoute le Dr Mathieu.

   – **Il faut consulter sans délai son médecin du sport** si on ressent des douleurs dans la région cardiaque. « Contrairement à ce que beaucoup croient, il ne s'agit pas d'asthme ; c'est le cœur qui pose problème et un ECG est indispensable. D'ailleurs on n'attrape pas l'asthme, on naît avec. Méfiez-vous des difficultés respiratoires : la plupart du temps elles correspondent à une anomalie cardiaque. »

- *ECG : comment procéder pour passer l'examen ?*

   – Le médecin vous délivre une ordonnance.

   – Vous prenez rendez-vous (au choix) auprès :

– d'un cardiologue (à son cabinet, dans un hôpital),

– d'un centre médico-sportif (une bonne solution, on y assure la plupart des soins et des tests nécessaires à la pratique sportive).

– L'ECG d'effort est un exercice physique : vous pouvez ressentir une certaine fatigue pour le reste de la journée, à vouloir tenir le plus longtemps possible. Mais le médecin a de quoi vous remettre d'aplomb en cas d'hypoglycémie ou, cas rare chez les sportifs, de perte de connaissance ; une bouteille d'oxygène trône à proximité du vélo… Et autant « taper dedans » ici pour mieux se connaître, que de risquer de se retrouver les bras en croix dans un col !

– Ne prenez pas rendez-vous la veille ou le lendemain d'une compétition, d'un entraînement ou d'une randonnée éprouvante. Le matin, n'arrivez pas à jeun (petit-déjeuner 2 heures avant), le dîner de la veille au soir (avec sucres lents) vous permettant de tenir le coup.

– Le test s'effectue sur vélo médical (statique) : venez avec un cuissard ou un short et des chaussures de jogging pour pédaler torse nu (hommes) ou en brassière (femmes). Le médecin ou son assistant vous appliquera sur le dos et la poitrine des pastilles autocollantes sur lesquelles se brancheront les fils reliés à l'enregistreur.

– Pouls et tension sont mesurés au repos (avant le test), en cours d'effort, enfin durant une phase de repos de plusieurs minutes. Durée du pédalage : une quinzaine de minutes. Durée de l'examen : près du double.

– Le médecin se tient auprès de l'enregistreur : à chaque instant il connaît votre pouls et décèle la moindre anomalie susceptible de vous faire ralentir ou arrêter. La tension est prise au bras, à intervalles réguliers, par un assistant, tout en maintenant le pédalage.

– Au début vous pédalez dans le vide, puis le médecin durcit progressivement le pédalage, par paliers (à la fin toutes les 60"). Vous pédalez le plus longtemps possible jusqu'au moment où l'effort devient insupportable. Comme il ne s'agit pas d'une compétition, seulement d'un examen de bonne santé, arrêtez-vous avant de tomber d'inanition.

– Pédalant en salle, et bien qu'étant en tenue légère, la sudation est abondante : amenez une serviette de toilette pour vous essuyer et prendre une douche si cela est possible.

À raison de 60 BPM votre cœur bat 86 400 fois/jour et 31 536 000 fois l'an : cela vaut la peine que vous vous en occupiez régulièrement.

6 - LE TEST DE LA *VO2 MAX* SUR ERGOCYCLE

Indispensable pour progresser comme pour utiliser efficacement un CFM (cardio-fréquencemètre), en l'absence de protocole (norme) officiel, il existe diverses façons de passer ce test avec des résultats parfois anecdotiques et peu de conseils pratiques du médecin pour améliorer votre condition physique, donc vos performances.

Il importe que le médecin et son entourage soient parfaitement au fait de la médecine sportive : on rencontre parfois du personnel médical fort dévoué, compétent pour soigner des malades cardiaques, mais inapte à tester puis conseiller des sportifs en bonne santé.

Il importe aussi de savoir de quoi l'on parle, VO2 étant un terme générique de laboratoire.

Dans un centre médico-sportif comme celui de Lyon, établissement comme il en existe peu en Europe, on obtient les VO2 Max des cyclistes et vététistes sur vélo spécial (ergocycle) reproduisant le plus fidèlement possible les conditions de la route (ou du chemin) avec tableau de bord indiquant cadence de pédalage, vitesse, braquet en fonction, fréquence cardiaque, etc.

Pour la course à pied et le ski de fond, le test est passé sur tapis roulant, pour d'autres sports également à forte consommation énergétique (aviron, canoë-kayak), le test est passé sur des appareils adaptés.

Le centre médico-sportif de Lyon a mis au point son protocole avec, dans l'ordre :

– visite médicale approfondie,

– ECG de repos et d'effort (qui contribue à l'échauffement),

– mesure des paramètres de repos cardiaques et respiratoires,

– échauffement (10'),

– court repos,

– test de puissance explosive (effort maximal de 3" avec braquet de 7 m),

– test de coordination (cadence maximale avec faible braquet : cyclo-sportif 180 à 200 tours de pédale/minute, coureur 210 à 225, plus pour un sprinter, les bons pilotes de bicross pouvant aller jusqu'à 240-250 !),

– repos,

– analyse énergétique de tous les paramètres respiratoires, cardiaques et mécaniques sur 15 minutes, jusqu'au braquet maximum que vous arrivez à emmener afin de connaître vos limites extrêmes,

– mesures de la récupération après 4 minutes.

Durée totale de la séance : 90 minutes

Si dans certains établissements le test s'effectue à cadence libre (60 ou 70 tours/minute, comme pour l'ECG), **la VO2 Max est obtenue ici à 100 tours**, « le rythme idéal au niveau du rendement comme de la récupération lors de la remontée de la jambe, c'est d'ailleurs la cadence des records de l'heure. »

Autre écueil à éviter : faute d'un bon rythme, dans certains établissements on n'arrive pas à la FC Max ou on monte à la FC Max sans parvenir à la consommation maximale d'oxygène.

Pourquoi un test sur 15 minutes ?

« Parce qu'il faut une progressivité de l'effort et qu'après 15 minutes on constate une démotivation du sujet. Or certains établissements font monter les cyclistes de 50 en 50 watts pendant 20 ou 25' » , de quoi démotiver (et démolir) les plus costauds.

Déterminer la puissance en watts d'un cycliste est capital

Elle s'obtient par contrôle de puissance toutes les secondes. « Si un individu fait, par exemple, 5 litres de consommation d'oxygène pour 60 kg de poids corporel, donc de 5000 millilitres divisés par 60, on obtient une excellente VO2 de 80 millilitres. Mais ces 80 millilitres ne prouvent pas grand-chose. Deux personnes peuvent arriver à 80, mais sur les pédales, on peut retrouver 500 watts dans un cas et 300 dans l'autre. Donc la VO2 Max ne fournit pas les données en puissance objective de l'individu. »

Un vrai test doit déboucher sur des critères d'entraînement

Sinon il ne sert pas à grand-chose : vous n'obtiendrez que la confirmation ou l'infirmation de la qualité de votre coeur.

Pour une vraie VO2 Max cycliste :

Il faut placer le sujet dans les conditions du terrain. L'ergocycle dispose d'un système d'amortissement autorisant un balancement latéral, une roue AR de 18 kg assurant une inertie voisine du réel, un tableau de contrôle visualisant les paramètres (en particulier la cadence de pédalage), une sélection de plateaux et de pignons agissant sur un simulateur électronique qui restitue les conditions de résistance de la vitesse réelle.

En mesurant, grâce à un masque, la consommation d'oxygène et la production d'acide carbonique, on peut déterminer de manière précise – par le croisement des courbes – le point précis où l'individu ne peut plus cataboliser ses lactates, la période où il en produit plus que ce que son organisme ne peut en recycler.

VO2 Max : Mode d'emploi

– **Préférez les centres médico-sportifs**, certains services de médecine du sport d'hôpitaux ou cliniques semblant plus orientés vers la prévention que vers les conseils « pointus » pour l'entraînement.

– **Si vous avez plus de 40 ans**, vous devez vous soumettre préalablement à un ECG d'effort et en amener l'attestation lors du test de la VO2 Max.

– Présentez-vous à ce test avec vos cotes de vélo : hauteur de cadre, sortie de tige de selle, recul de selle, sortie de potence. Il est souhaitable de pouvoir utiliser vos pédales automatiques, donc vos chaussures adaptées. (Renseignez-vous à l'avance).

– Prenez avec vous votre cuissard, pas votre maillot, à cause des électrodes à placer (comme pour l'ECG) sur le dos et la poitrine, sans compter que vous pédalez généralement en salle, donc en atmosphère chaude.

– Vous aurez devant vous un tableau de bord indiquant cadence de pédalage (très important), braquet, fréquences cardiaques et respiratoires, puissance développée en watts, chrono…

– Vous inspirerez et expirerez à l'intérieur d'un masque qui permet d'analyser le débit de ventilation et le rejet d'acide carbonique. La tension est enregistrée avant, pendant et après l'effort. Un ordinateur saisit toutes les données et sort le résultat final, y compris les données relatives à l'entraînement dans l'avenir, peut-être sur de nouvelles bases.

– Arrivez au test avec une réserve de sucres lents (le dîner de la veille).

– Soyez entraîné afin que le test prenne toute sa valeur : pas de test en décembre ou début janvier si vous n'avez pas touché un vélo depuis deux mois ! Et pas d'entraînement dur la veille.

– Prévoyez une serviette de toilette afin de vous éponger et de prendre une douche, si on vous en offre la possibilité.

– Repassez le test au bout d'un an, afin de mesurer vos progrès.

7 - ORIENTEZ VOTRE PRÉPARATION SELON LE RÉSULTAT DE VOS TESTS CARDIAQUES

Un vrai test de VO2 Max débouche sur des critères d'entraînement : vous devez en repartir avec des données nouvelles et concrètes afin de mieux vous entraîner en qualité comme en quantité, sinon le test n'aura fait que confirmer l'ECG. Ce qui arrive quand la VO2 Max est obtenue de façon indirecte sur simple vélo médical par un savant calcul.

En sortant d'un vrai test, vous devez savoir sur quelles « plages » de fréquence cardiaque vous entraîner :

– Au niveau du seuil aérobie/anaérobie quelles distances ?

– Combien de répétitions ?

– À quelle cadence de pédalage ?

-Avec quels braquets ?

– Quels temps de récupération entre les fractions effectuées en résistance ?

– Etc.

Sinon, consolez-vous : vous avez effectué un bon entraînement. Sauf qu'au tarif de la séance dans certains établissements (généralement ceux où le test apparaît le moins valable), cela fait cher du kilomètre...

8 - ENTRAÎNEZ-VOUS « AU SEUIL »

Quel est le but de l'entraînement? Tout le problème est là. Physiologiste au Centre Médico-Sportif de Lyon, ancien coureur de haut niveau, Robert Gauthier propose une méthode :

« L'objectif doit être d'améliorer le système cardio-vasculaire et de développer la musculature (force et vitesse). Pour progresser, il faut se fixer un programme personnel et l'appliquer, même au cours de sorties en groupe, avec une progression constante, sans chercher à brûler les étapes, sans confondre puissance et force : à 35 km/h, on fournit la même puissance avec un 42/17 ou 52/14 ; seul varie le rapport force/vitesse. »

Robert Gauthier insiste sur un point essentiel : Le but de l'entraînement est de développer l'endurance, c'est-à-dire :

– amélioration de l'oxygénation sur une plage plus large (écart entre les deux courbes : consommation d'oxygène, rejet de gaz carbonique),

– développement de la puissance systolique, puissance par battements (watts/BPM),

– déplacement vers le haut du seuil (tolérance aux lactates),

– progression du rendement énergétique total (watts au seuil/équivalence VO2 Max).

Ne pas confondre « endurance » et « heures de selle » : « L'endurance est la faculté de se tenir le plus longtemps possible, le plus près possible de sa puissance maximale ».

▶ **Principes des séances d'entraînement :**

– 60 % de votre travail doit se situer dans la plage d'endurance basique (oxygénation maximale),

– toujours débuter par un échauffement progressif sur 20 à 30' :

– avec un braquet réduit, atteindre progressivement une cadence de 100 à 105 t/minute,

– augmenter progressivement le développement en conservant la cadence,

– la puissance augmentant, on constate une montée progressive de la fréquence cardiaque,

– au seuil anaérobie marquer une récupération de 4-5',

– on peut alors travailler sur les séquences conseillées à l'issue du test de la VO2 Max.

▶ **Comment progresser lors de vos entraînements ?**

Robert Gauthier et le CMS de Lyon proposent de travailler « sur trois plans » : **production maximale d'énergie** (puissance équivalente à la VO2 Max), **puissance maximale aérobie** (puissance mécanique maximale), **capacité maximale de travail** (puissance au seuil anaérobie). Avec un entraînement sur trois niveaux :

– **phase 1 :** automatisme et coordination (musculaire et respiratoire),

– **phase 2 :** endurance de base (zone 65 à 80 % du seuil anaérobie),

– **phase 3 :** endurance foncière (zone 80 à 100 % du seuil anaérobie), résistance (100 à 160 % de la puissance maximale aérobie).

Conseils préalables :
– **Échauffement 30 minutes :** systématique à chaque sortie (cadence progressive),
– **Ventilation maximale :** respiration lente et profonde (échange alvéoles),
– **Position sur le vélo :** épaules et hanches stables, position réculée sur la selle,
1/3 du temps mains en bas du guidon (aérodynamique),
– **Rotation de la cheville :** pression continue sur la pédale,
– **Coordination musculaire :** cadence 100 tours/minute minimum sur le plat,
– **Ne pas confondre :** entraînement et compétition.

- **Phase 1 – Préparation – Automatismes et coordination**
  – **En côte, travailler la force :** monter assis en recul sur la selle en soignant le passage des points morts (minimum de position en danseuse à l'entraînement).
  – **En descente, travailler la souplesse :** rester en appui constant sur les pédales, même à cadence élevée (passage points morts comme ci-dessus).
  – **Sur le plat :** maintenir une cadence rapide, minimum 100 tours.
  – **Rechercher :** la perfection du style et la synchronisation respiratoire.
  – **Sorties :** durée 1 h 30 à 2 h 30 (+ 20 à 30 minutes à chaque fois).
  – **Parcours :** légèrement vallonnés (pas de côtes dures ni longues).
  – **Braquet :** relativement constant, plat 42/17 à 15, côtes 42/18 à 20.
  – **En fin de phase :** accélérations 1 à 2 minutes à cadence 140/150 tours.
  – **Moyenne indicative :** 26 à 28 km/h (soit sorties entre 40 à 70 km).
  – **Fréquence cardiaque :** plage endurance basique (consommation des lipides).
  – **Distance 1re phase :** 500 à 600 km (8 à 10 séances).

- **Phase 2 – Endurance – Force – Changements de rythme**
  – **Mêmes principes :** position, respiration, coordination.
  – **Côtes :** braquet supérieur à la normale, 42/16 à 51/17 selon la difficulté.

– **Descente :** braquet inférieur, 42/17 ou 16 à cadence maximale (supérieure à 120 tours).

– **Plat :** braquet moyen, 42/16 à 51/17 à cadence élevée (supérieure à 100 tours).

– **Sorties :** durée 2 h 30 à 4 heures.

– **Parcours :** plus vallonnés avec accélérations en haut des côtes (fréquence cardiaque maximale, FC Max).

– **En fin de phase :** rechercher côtes longues, fréquence cardiaque seuil 2 à 3 minutes en haut.

– **Moyenne indicative :** 28 à 30 km/h, soit sorties entre 70 et 120 km.

– **Distance 2e phase :** 500 à 600 km (6 à 8 séances).

On peut inclure des petites épreuves dans cette préparation, à condition de respecter la progression et le programme défini. Avec toujours la priorité au petit braquet. Cette préparation est largement suffisante pour des distances de 120 à 150 km. Mais pour des épreuves plus longues ou comportant des cols, et pour des épreuves où vous recherchez la performance, un travail plus spécifique est nécessaire.

- **Phase 3 - Amélioration du seuil de transition**

Nécessité de bien connaître son cycle cardiaque, donc d'aller se soumettre aux tests d'effort sur ergocycle et d'équiper son vélo d'un cardio-fréquencemètre ainsi que d'un compte-tours.

Les séquences de travail spécifique sont effectuées au cours de sorties seul, dans la zone supérieure d'aérobie (foncier court) ou en anaérobie (fractionné). Respectez les temps de récupération prévus entre chaque séquence.

1 - Foncier court

Entre la fréquence cardiaque au seuil et 90 % de cette FC, plutôt sur le plat : trois séquences consécutives de 5 minutes à cadence élevée (100 à 105 tours). On peut effectuer également ces séquences en montée, en respectant les plages cardiaques et en adaptant le braquet sur une cadence de 60 à 70 tours. Temps de récupération identique au temps d'effort (5 minutes).

2 - Fractionné

S'effectue à FC Max seulement sur le plat à 2 niveaux :

a) Soit en PMA sur trois séquences de 1 minute à cadence 110/115 tours (temps de récupération 4 minutes).

b) Soit à 150 % de la PMA sur trois fois 15 secondes à cadence 120/125 tours (temps de récupération 2 à 3 minutes).

Pour être efficace, et surtout ne pas provoquer de désordres sur le plan physiologique, ce travail à haute intensité doit être sérieusement planifié. On le pratiquera plutôt à la fin des parcours d'entraînement. Il ne doit être abordé qu'après échauffement très progressif de 1 heure minimum.

Au cours de cette 3e phase, on alternera des sorties courtes (2 heures) et des sorties longues (4 heures, pour conserver ou développer l'endurance) à la fin desquelles on inclura ce travail à haute intensité.

Distance 3e phase : 600 à 800 km (5 à 6 séances).

Distance totale pour un entraînement cohérent : 600 + 600 + 600 = 1 800 km.

Compléter cette préparation pour des épreuves de haut niveau :

– **Cyclosportive niveau national**, deux sorties de 5 à 6 heures suffisent pour tenir 200 km, le problème n'étant pas la distance mais le fait d'élever et de maintenir le seuil (aérobie/anaérobie) pour supporter les pointes en haut des côtes et les accélérations.

– **Haute montagne**, deux sorties en col permettront de retrouver les braquets et le rythme de grimpeur, car la puissance nécessaire est déjà acquise.

▶ Entraînement de maintien en cours de saison

Au lieu d'aller rouler le lendemain d'une épreuve, plutôt faire du vélo sur rouleaux (30 à 45 minutes, en souplesse, avec des accélérations vers la fin), ou alors rouler 15 à 20 minutes avec un petit braquet tout de suite après l'épreuve, afin d'éliminer les lactates.

1 - Le foncier

On ne perd pas son endurance foncière dans la semaine. Au lieu d'effectuer en semaine une sortie longue d'une durée proche de la cyclosportive du dimanche prochain (plus longue que la précédente), il est préférable de rouler encore 30 à 50 km après la première des deux épreuves. S'alimenter, boire pour éliminer les toxines, braquet réduit (42/15 environ), collant de jambes si le temps est frais ou même douteux.

2 - La souplesse et les automatismes

Le mardi, après échauffement, faire 40 à 50 km plutôt sur le plat et avec des changements de rythme sur la fin. Travail surtout en souplesse.

3 - La force et la détente

Le jeudi, 80 à 100 km avec des côtes montées sur un braquet plus grand et une accélération en haut (travail de force). Descentes en petit braquet à cadence élevée (travail de détente). Puis deux ou trois séquences de foncier 5 minutes (travail au seuil). Facultatif : un ou deux fractionnés de 1 minute (puissance maximale). Toujours veiller à : position, respiration profonde, rotation cheville.

9 - EN RÉSUMÉ : LES CONDITIONS POUR AMÉLIORER VOTRE « CARDIO »

1. Comprendre la différence entre l'examen d'effort « cardiologique » et le test d'effort « sportif »

Le premier décèle les maladies cardiaques, le second permet de connaître les capacités d'un cycliste ou vététiste. Objectifs, protocoles, paramètres sont différents. Le test d'effort s'intéresse aux échanges respiratoires, à la fréquence cardiaque, à la consommation d'oxygène et permet de connaître la VO2 Max, la FC max, le seuil aérobie/anaérobie.

2. Vous soumettre à un ECG (électrocardiogramme) d'effort :

Un examen à effectuer une fois par an auprès d'un cardiologue ou dans un centre médico-sportif. Sur un ergocyle on fait évoluer la fréquence cardiaque par l'augmentation de la puissance, de la même façon pour tout le monde, sauf que tout le monde ne s'arrête pas au même niveau d'épuisement.

3. En cas d'ECG favorable :

(Examen indispensable à notre sens pour obtenir l'attestation de non contre-indication à la pratique du cyclisme et du cyclotourisme). Il importe de vous placer dans la situation où il est possible de libérer le maximum d'énergie afin de mesurer la véritable consommation d'oxygène. D'où la nécessité d'un **véritable test** « sportif », poussé, **celui de la VO2 Max** (capacité maximale de consommation d'oxygène) pour déterminer votre « cylindrée ».

4. Repartir de ce test avec des données nouvelles et concrètes

Afin de pouvoir vous entraîner « au seuil » (et parfois au-dessus).

5. Utilisez intelligemment votre CFM (cardio-fréquencemètre)

Comme moyen de contrôle d'abord, comme instrument de progression ensuite.

6. Trois entraînements par semaine sont indispensables pour progresser.

7. Remplacez périodiquement le vélo par un sport de complément

(Exemple : une fois par semaine). Un sport autorisant un bon travail cardio-vasculaire comme la natation, le jogging, le ski de fond, le roller, la randonnée en raquettes. En cas de grosses courbatures, la natation est le sport le plus bénéfique.

8. Hormis les sorties de « décrassage »,

au lendemain d'une épreuve ou d'un entraînement dur, **pas de sor-**

tie d'entraînement sans faire monter les pulsations au seuil aéro-bie/anaérobie (même sur une courte distance).

9. Au cours des deux premières années de pratique :

Augmentez durée et kilométrage de 30 à 50 % par an ; ensuite, maintenez ce volume tout en cherchant à rouler plus vite, mais pas plus long. La progressivité est l'une des clés de votre réussite.

10. Alternez entraînement facile/entraînement dur

Pas de résistance dure deux jours de suite, pas de sortie longue le lendemain d'une séance en résistance dure. Le repos entre les deux peut être « actif » : natation (30 minutes sans forcer). Si besoin est, ménagez-vous d'autres jours de repos, notamment avant et après une compétition. Après trois semaines d'entraînement intensif, alternez avec une semaine de (semi) repos.

Variez les parcours d'endurance, surtout ceux de la sortie longue (100 km et plus), mais pour la résistance il est préférable de disposer de points de repère sur des distances précises mesurées avec votre compteur.

11. Question kilométrage

Privilégiez la qualité au détriment de la quantité : à partir d'un certain niveau d'entraînement, pédaler à petit rythme des heures durant ne vous sert plus à rien, sinon à vous épuiser ; seul avantage, prendre l'air et vous promener.

Le Dr Mathieu rappelle que « l'entraînement à la compétition est la gestion de la forme si on a pratiqué un entraînement hivernal correct », car « **c'est l'hiver que l'on construit la cylindrée du moteur.** »

En matière d'entraînement foncier, il insiste sur le fait que l'**on ne perd pas son endurance en quelques jours**, l'endurance étant liée à la consommation d'oxygène qui, lui, se dégrade lentement : une excellente réponse à ceux et celles qu'envahit le doute après une période de repos forcé précédant une épreuve importante.

Enfin, **évitez des « bornes » inutiles** en début de saison, voire après, **en travaillant les points faibles de votre musculature** (trapèzes, par exemple, par exercices en salle sous contrôle d'un professeur) et en **n'interrompant pas totalement la pratique du vélo** de route ou tout-terrain l'hiver : une seule sortie par semaine, même courte, 60 à 90 minutes avec de petites bosses enlevées à un bon rythme, vous permettra d'être plus vite dans le coup dès janvier-février.

12. Travaillez vos paramètres respiratoires

– **Débit ventilatoire (V.E.)** = volume d'air ventilé dans les poumons, en litre par minute (l/min). Les valeurs de référence sont d'environ 2,5 l/min/kg pour l'homme et de 2 l/min/kg pour la femme.

– **Fréquence respiratoire (F.R.)** = nombre de cycles respiratoires ins-piration/expiration par minute. En effort Max il doit être compris entre 50 et 55 cycles/min (au maximum 60).

– **Volume courant (V.T.)** = volume pulmonaire utilitaire, sans inspi-ration ou expiration Max. Chez les hommes, il doit être de 3,5 à 4 litres, plus faible (de l'ordre de 2,2 litres) pour les femmes ; la respi-ration est une faiblesse chronique chez les femmes.

Mais : V.E. = F.R. x V.T.

13. Pour améliorer le débit ventilatoire

Mieux vaut augmenter le volume courant que la fréquence respira-toire. Les avantages sont très importants sur le plan du rendement énergétique :
– économie d'énergie des muscles respiratoires (cycle plus lent du diaphragme et des muscles intercostaux),
– dilatation des alvéoles pulmonaires favorisant le transfert d'oxygè-ne à travers la paroi. Une forte VO2 Max est liée à un débit ventila-toire élevé.

Donc travaillez la respiration ainsi :
– **inspiration** avec relâchement abdominal (diaphragme baissé, bas des poumons libéré),
– **expiration** avec contraction abdominale (diaphragme remonté, bas des poumons comprimé),

– **à l'entraînement**, marquez un temps d'arrêt d'une seconde en fin de chaque cycle respiratoire pour maintenir les alvéoles en distension à l'inspiration et bien les vider complètement à l'inspiration,

– **la brasse coulée** sur de longues distances (+ de 1 000 m) en décomposant les cycles respiratoires est très propice (au-dessus de l'eau, inspiration + apnée, au-dessous expiration + apnée),

– **l'oxygénation** dépend de la qualité de la respiration, 1re phase du métabolisme aérobie.

14. Repassez le test de la VO2 Max

Au bout de plusieurs mois de travail au seuil afin de juger de vos progrès, que vous aurez pu déceler sur le terrain lors des entraînements comme des épreuves. Sauf si vous en faites trop (ou pas assez !).

15. Méfiez-vous des programmes d'entraînement sans tests d'effort préalables

Moyennant finances, certains vous les adressent par… fax ou ordinateur sans rien connaître de vos caractéristiques cardio-vasculaires. Aujourd'hui, **c'est le médecin physiologiste qui oriente véritablement l'entraînement** en concertation, bien sûr, avec l'entraîneur du club, si vous en avez-un.

Chapitre *IV*

Coureurs, cyclos, vététistes, préparez-vous un peu mieux !

1 - *RESTEZ SOUPLES*

Le bon choix : **les assouplissements sous forme d'étirements**, des exercices permettant aussi le drainage veineux et l'élimination plus rapide des toxines ainsi qu'une bonne relaxation, des exercices praticables en tout lieu et tout temps.

But des étirements

– **Préparer** la musculature en vue de la performance (mieux qu'un massage d'avant course),

– **Éviter** les traumatismes dus à l'effort (meilleure élasticité des muscles, tendons, articulations),

– **Récupérer** plus vite, mieux, facilitant la reprise de nouveaux entraînements rapprochés (élimination des déchets).

Dans les trois cas, l'étirement permet de « sentir » parfaitement son corps : le bien-être ressenti est physique mais aussi mental (par exemple : diminution du stress d'avant-compétition).

À travailler en priorité :
- Les membres inférieurs,
- le dos,
- les épaules.

Au total une dizaine d'exercices suffisent pour assurer un bon entretien de la « machine », mais rien ne vous empêche d'en faire un peu plus, à condition de vous étirer dans les règles de l'art : au moins au début, sous la conduite d'un kiné ou d'un professeur dans une salle, sinon vous risquez de ne point progresser (rester raide !) ou pire, de vous blesser.

Outre les exercices classiques propres à presque tous les sportifs, le cyclisme (sur route comme en tout-terrain) peut nécessiter d'autres étirements/assouplissements :

– **En cours de route** sur le vélo, un début de contracture ou de crampe, des sensations de lassitude peuvent disparaître ou se voir atténués par des exercices simples d'étirement du muscle douloureux pendant quelques secondes.

– **Mettez-vous en danseuse,** debout sur les pédales (repos des fessiers, la circulation s'effectue mieux, on le ressent immédiatement), l'exercice le plus classique effectué d'instinct par les néophytes, mais à systématiser par la suite. Vous soulagez les membres inférieurs qui vont travailler de façon différente.

– **Laissez pendre les bras** l'un après l'autre, en décontraction, afin de soulager ces membres, mais aussi épaules et trapèzes.

– **Étirez les bras vers l'arrière** en cherchant à les remonter vers le haut en lâchant le guidon (sauf en VTT !), gare à vos éventuels voisins et à la circulation.

– **Étirez les bras vers le haut** en redressant buste et tête en lâchant le guidon (sauf en VTT !).

– **Sortez chaque jambe l'une après l'autre** de la pédale automatique ou du cale-pied, tendez la jambe à l'extérieur du vélo.

– **Changez fréquemment de position des mains** sur les longues distances, comme de position des bras sur le guidon : utilisez en alternance différentes positions afin de vous relâcher, de réactiver la circulation sanguine, d'alléger la souffrance des trapèzes (muscles de part et d'autre du cou que nous vous invitons par ailleurs à renforcer l'hiver par des exercices spécifiques, très simples, de musculation en salle).

– **Ajoutez de profondes expirations/inspirations**, lentement, buste redressé.

– **Sécurité :** exercices à ne pas accomplir au cœur d'un peloton ou d'un petit groupe, mais sur le côté droit de la route, voire à l'arrière. En VTT on ne peut les effectuer que sur terrain facile (essayez de lâcher le guidon sur les cailloux !).

– **À l'arrivée ou à la halte**, décontractez-vous, détassez les lombaires en vous accroupissant sur une pelouse, un tapis, une moquette (position du musulman en prière), bras allongés vers l'avant, exercice à répéter trois ou quatre fois durant 15" en vous relevant.

Étirez-vous correctement !

– **Après un effort intense**, prudence : étirements en douceur pour éviter un accident musculaire ; ces exercices font partie du retour au calme, l'expression est claire.

– **Pas d'étirement à froid :** la situation est inverse à la précédente, mais les risques d'accidents encore pires ! Pédalez quelques minutes ou effectuez un jogging et de la marche rapide avec des flexions de jambes (important pour les ischio-jambiers) : effectuez même quelques accélérations afin de vraiment préparer les muscles.

– **Ne confondez** pas étirements avant/après effort et étirements pour progresser lors de vos entraînements : dans ce dernier cas seulement vous recherchez un gain d'amplitude.

– **Étirez un groupe musculaire**, pas un muscle seul : les muscles ne sont pas isolés les uns des autres et fonctionnent par chaîne.

– **Travaillez muscles agonistes et antagonistes**, ainsi après les quadriceps (muscles du devant de la cuisse), étirez les ischio-jambiers (muscles de l'arrière).

– **Arrêtez-vous en cas de douleur vive**, massez-vous, recommencez doucement, et si la douleur persiste, arrêtez l'étirement pour un jour ou plus selon nécessité.

– **Avec un kiné ou un professeur**, apprenez à étirer en contraction/relâchement (6" dans chaque position) afin de gagner en amplitude.

2 - RENFORCEZ VOTRE MUSCULATURE

Attention, vous muscler ne signifie pas « gros muscles » : d'ailleurs, pour y arriver, il faut un énorme travail à base de soulevé de fonte, exercices dans lesquels excellent les coureurs cyclistes sur piste. L'idéal, ce sont **des jambes harmonieusement musclées** par la pratique de sports de complément au cyclisme.

▶ **La musculation bien faite :**
– renforce la puissance,
– fait fondre les réserves de graisse,
– améliore les fonctions respiratoires et circulatoires,
– renforce votre ceinture abdominale et vos lombaires, mais ne doit pas vous faire prendre du poids,
– vous permet de moins puiser dans le « jus » (vos réserves d'énergie),
– chez les jeunes, elle doit consister en exercices légers, souvent à base de mouvements récréatifs (ballon, natation, VTT, cyclo-cross),
– complète le mouvement de pédalage (risque évident pour les cyclistes et vététistes d'avoir uniquement les jambes qui se musclent),
– s'effectue chez soi ou dans un institut disposant des appareils nécessaires avec charges additionnelles ; mais n'abusez point des exercices comme les squats (risque de tétaniser les muscles en confondant puissance et force), mieux vaut renforcer les membres inférieurs par une musculation naturelle à base de VTT, de cyclo-cross ou de cross pédestre.
– ne doit pas durer trop longtemps (pas plus de 60 minutes), sinon risque d'épuisement,

– débute lors des premières séances par de la musculation générale, avant d'aborder la musculation spécifique pour le vélo,

– ne s'effectue pas à la sortie d'un repas, attendez une heure ou deux ; pour une séance longue, amenez un bidon de liquide glucosé,

– commence par un échauffement avant de finir par un retour au calme,

– n'oublie pas les exercices d'ampliation de la cage thoracique, accorde une attention particulière à la respiration (pas en soufflet de forge, en expirant pendant l'effort),

– laisse des plages de récupération (ainsi entre abdos et ischio-jambiers),

– comporte des étirements en début et fin de séance (surtout pour les lombaires qu'il faut détasser),

– comprend deux ou trois séances/semaine pour progresser, le nombre des séries et des répétitions dans chacune d'entre elles dépend des charges et de votre niveau (référez-vous aux conseils du professeur).

Si vous disposez de peu de temps à consacrer au sport, priorité au vélo : pratiquez cependant quelques exercices à domicile, à l'hôtel si vous voyagez beaucoup, dans un parc public en tenue de joggeur, avec abdominaux, flexions, pompes, étirements, moulinets de bras.

Pour tous et toutes, chaque jour : au moins 75 exercices abdominaux (5 x 15) par battements de jambes, plus 5 x 15 par ciseaux de jambes, en position étendue au sol avec accoudement ; observez deux minutes de repos entre les deux types d'exercices. Pratiqués chaque jour durant quelques semaines, puis un jour sur deux ultérieurement, ces exercices simples (durée quelques minutes) vous permettront de substantiels progrès. Il vous suffit d'essayer.

3 - *QUAND AVEZ-VOUS BESOIN DE MASSAGES ?*

A priori après tout effort sportif important. **Les bienfaits des massages** sont nombreux :

– Ils rendent la peau plus souple, contribuent à débarrasser l'organisme des impuretés, activent la circulation du sang, accroissent la température du muscle.

– Ils améliorent le tonus, décontractent, redonnent confiance pour de nouveaux efforts, d'autant qu'ils se déroulent dans une pièce calme, le corps étendu, et que le kiné finit par devenir un confident à l'écoute de vos moindres problèmes de condition physique, autant qu'une personne qui vous conseille utilement à force de bien vous connaître.

– Ils défatiguent après un effort, décontractent le muscle en le détendant; attention, pas de massages sur un hématome comme sur toute partie du corps victime immédiate d'accident musculaire ou articulaire.

– Soit les massages sont effectués tout de suite après une compétition (ou un entraînement dur) soit le surlendemain de la compétition.

▶ Muscles à masser en priorité

– **Vélo :** ensemble de la cuisse, lombaires, trapèzes, bras (avant-bras, biceps), fessiers.

– **Ski de fond, alpin :** quadriceps, adducteurs, jambiers antérieurs, genoux, chevilles, triceps, épaules.

– **Course à pied :** mollets, articulations de la base des orteils, jambiers antérieurs, fessiers, lombaires, tendons d'Achille, ischio-jambiers.

▶ Massage avant effort

Il ne remplace pas l'échauffement mais y contribue. À effectuer avec pommade chauffante faiblement révulsive (à essayer à l'entraînement afin de ne pas éprouver une sensation de brûlure le jour de l'épreuve).

▶ Massage entre deux efforts

Pour délasser de l'effort précédent et préparer à celui qui va suivre : un massage local pour les parties du corps les plus éprouvées, utile pour les demi-étapes en milieu de journée ou une arrivée tardive en fin d'après-midi avec reprise de bonne heure le lendemain matin. Signalez au kiné articulations et muscles douloureux afin d'aller à l'essentiel. Entre deux dimanches très sportifs, massage le lundi (récupération d'une épreuve) et le vendredi soir (récupération des entraînements).

▶ Massage après effort

Accompagnez-le d'hydrothérapie, de sauna ou bain de caisse, de relaxation : son action se révélera encore plus bénéfique, permettant une reprise plus rapide de l'entraînement en début de semaine, plutôt que de traîner huit jours en état de méforme avec de fâcheuses conséquences sur le plan professionnel et familial. La douche est impérative avant : la peau ne devant pas être salie par la poussière et la transpiration. Une seconde douche peut suivre : pour accentuer la sensation de détente.

Ce type de massage sera lent, profond pour améliorer la circulation locale, éliminant beaucoup de toxines, assouplissant des muscles contracturés ; il faut procéder par pressions glissées, pétrissages, vibrations, des extrémités vers le cœur (durée : 30').

Un massage général exige de la part du kiné, une certaine force musculaire, mais il existe des appareils massant par vibrations afin de soulager la peine de la personne qui masse.

Gare au massage après la course ou le rallye : on est couvert de poussière voire de boue, outre la sueur, un sacré mélange ! Avec de petites égratignures (parfois invisibles), les risques d'infection apparaissent évidents, avec transmission entre les deux personnes. Raison de plus pour passer d'abord à la douche avant de revenir au service de kiné mis en place par les organisateurs de l'épreuve.

Utilisez les services d'un kiné après une épreuve et en cas de crampes : on étire et on appuie sur le muscle mais seulement quand la douleur commence à diminuer.

▶ Massage de rééducation

Après un accident, une maladie, une opération, afin de contribuer à la guérison et à la reprise de l'entraînement cycliste. Les massages complètent divers exercices physiques de reprise, dont le vélo statique ou sur rouleaux.

▶ Automassages

Il est utile de savoir se masser soi-même : pour un mollet douloureux, un pied, un bras, les quadriceps. Procédez ainsi :
– ne broyez pas les muscles, du doigté, en douceur !
– pétrissez les muscles en remontant vers le cœur,
– servez-vous d'une crème de massage (effet relaxant, glissement des mains facilité) ; mais si vous utilisez du gel ou du Synthol®, il faut vous contenter de les appliquer sur la peau. Les autres produits contiennent presque tous du camphre (agréable sensation de légèreté),
– jambes rasées (plusieurs jours avant, afin que les petites égratignures soient cicatrisées), le massage est plus efficace,
– lavez-vous les mains après massage (risque d'irritation des yeux si vous vous frottez la figure par mégarde).

4 - LES BIENFAITS DE LA PHYSIOTHÉRAPIE

Froid : effet antidouleur après chute, coup, accident musculaire, afin de réduire les risques d'hématome. Appliquez du froid avec un spray de liquide réfrigérant ou avec des glaçons (si possible dans un sachet plastique) : évitez les gelures grâce à un tissu.

Chaleur : décontraction musculaire par lampe à rayons infrarouges (pas trop près de la peau pour ne pas la brûler) ; application de cataplasme chaud ou emplâtre américain, douche très chaude sur la partie malade.

Sudation : remise en forme naturelle sous forme d'une sortie en vélo pour « décrassage » avec quelques épaisseurs sur le dos et les membres inférieurs ; à ne pas effectuer en plein été, bien sûr ! Mais en hiver ou par tous temps frais, la sudation peut prendre la forme d'une séance de vélo sur rouleaux ou statique. Pas plus de 15 à 20 minutes de vélo ou alors le double en jogging (pas plus d'une fois par semaine, et cela ne fait pas maigrir).

Autres formules : le bain de caisse (on est assis dans un appareil d'où émerge seulement la tête, chauffage par radiateurs, à faire suivre d'une douche tiède pour éviter toute sudation secondaire), le sauna (bain d'air dans un local chauffé), le bain turc (en atmosphère humide). Le bain de caisse est sans aucun inconvénient, praticable à domicile avec son propre appareil, mais celui-ci est difficile à trouver dans le commerce.

5 - LA NATATION : POUR MIEUX RÉCUPÉRER

Le lundi, ou tout autre jour suivant une épreuve sportive, une séance de natation d'une demi-heure, sans forcer, constitue peut-être le meilleur délassement possible. Certes, il est scientifiquement prouvé depuis longtemps qu'une sortie en vélo « en souplesse » sur une courte distance accélère l'élimination des toxines. Malheureusement, en cas de forte fatigue, il peut être préférable de ne pas remonter sur le vélo durant un jour ou deux et de se décontracter dans un sport où **le corps est totalement « porté »**.

La nage sur le dos est préférable : musculation naturelle des abdos, pas de contre-indication pour les personnes souvent victimes d'ennuis lombaires (en brasse, le dos est cambré), ouverture de la cage thoracique. Mais une séance de natation peut être incluse en milieu de semaine, par exemple pour se délasser d'une sortie éprouvante ou parce qu'on n'a pas le temps d'aller rouler (30 à 40 minutes de natation à rythme soutenu permettront d'effectuer un excellent travail cardio-vasculaire).

Un dérivé de la natation est **l'aqua-jogging :** inventé par des coureurs à pied qui, blessés, ne voulaient pas interrompre leur préparation, c'est un exercice intéressant surtout après une blessure, en utilisant une ceinture à flotteurs (parfois disponible dans les piscines publiques). Mais, comme pour la natation, il vaut mieux prendre quelques cours afin de « courir » dans l'eau avec efficacité.

Important : la natation sera **une activité de complément** ou de remplacement, non en supplément d'un entraînement déjà chargé.

Enfin, on ne peut passer sous silence les bienfaits de l'eau de mer sous forme de thalassothérapie, aux fins de remise en forme ou de guérison avec douche au jet, piscine chauffée à 30 degrés ou plus, bains d'algues, enveloppement de boues marines, massages sous l'eau dans un centre spécialisé avec hôtel et régime diététique.

6 - LES CONDITIONS IDÉALES POUR RÉUSSIR VOTRE « PERF »

▶ Intersaison

Les problèmes les plus difficiles se posent **quand il faut tout arrêter** avec l'arrivée de l'hiver : heureux les méridionaux qui ne connaissent pas cette dure épreuve ! Physiquement, pas de problème : on peut se trouver d'autres activités ; mais moralement, se priver de vélo et compter les jours en attendant le retour de la chaleur, cela frise l'inhumain… Alors, fixez-vous des objectifs dans la pratique des sports de remplacement : par exemple, vous préparer pour une épreuve de ski de fond ou un cross pédestre, à la condition de ne pas en faire un but en soi (et de vous « crever »), le but demeurant (à long terme) le vélo.

Autre période difficile, le **passage de l'hiver au printemps** avec les premières chaleurs, avec de grosses variations de température au cours de la matinée, avec possibilité de brusque retour du froid en cours de journée. À la fin de l'été, en revanche, on accueille avec soulagement la fin de la canicule et l'arrivée d'une température plus clémente, donc plus tonique. Ces périodes d'intersaison peuvent se révéler fatigantes, raison de plus pour ne pas en rajouter en matière d'entraînement : de toute façon, en mars et avril, on conseille déjà de lever le pied afin de récupérer de l'entraînement hivernal et « faire du jus » en prévision des premières épreuves.

▶ Changement de climat

Comme vous ne pourrez pas toujours arriver plusieurs jours avant une épreuve sur les lieux où elle va se dérouler, préparez-vous dans votre région. Passer du temps chaud au temps froid risque de vous poser moins de problèmes : habillez-vous plus chaudement, emmenez un de vos bidons avec une boisson chaude (bidon isotherme). Mais passer du temps froid au temps chaud, voire très chaud, « abat » souvent la personne concernée : en principe une personne en forme passe correctement la chaleur, et certains vous affirment « La chaleur c'est seulement un problème de bidons » (en avoir suffisamment et vite à disposition). Pour se préparer à la chaleur, on peut effectuer des sorties (et deux ou trois épreuves) en milieu de journée dès le printemps ou par temps chaud et ensoleillé. Enfin, en hiver, continuez à transpirer en rajoutant une épaisseur sous votre maillot une fois par semaine (pas plus souvent).

▶ Changement de temps

Les vents chauds avec baisse brutale de la pression barométrique fatiguent énormément, outre soif, transpiration, névralgies, migraines, troubles digestifs, insomnies, irritabilité... Les sautes de température et de pression barométrique, d'humidité, bouleversent le système hormonal et sanguin. La période des équinoxes (21 mars, 21 septembre) est pour certains assez difficile (accidents cardiaques, grande fatigue). Là encore, levez le pied, reposez-vous un, deux jours en cas de fatigue anormale.

▶ Fuseaux horaires

Cinq fuseaux horaires sont nécessaires pour causer de réelles perturbations sur l'organisme. Dans le sens inverse du soleil, l'adaptation s'effectue plus aisément. Dans l'avion, essayez de dormir avec un bandeau sur les yeux, des boules de cire dans les oreilles, chaussures délacées, avec peut-être un léger sédatif.

▶ Entraînements, compétitions, le meilleur moment

La température du corps est plus élevée en milieu d'après-midi, la température extérieure est idéale en maints endroits (ni la fraîcheur matinale, ni la chaleur de midi). Mais pour des raisons pratiques d'emploi du temps, la plupart d'entre vous, en fin de semaine, roulent le matin, afin de profiter du reste de la journée en famille ou devant la T.V. Les épreuves « cyclo » se déroulent généralement le matin, les courses cyclistes l'après-midi : la tradition.

Habituez-vous à toutes les situations : si vous devez prendre part à une épreuve de très bonne heure, il vous faut être sûr de ne pas être trop surpris ; alors tentez l'expérience d'un entraînement dans les mêmes conditions quelque temps auparavant. Vous découvrirez qu'on peut être en forme dans les deux cas, matin ou après-midi, question d'organisation et d'alimentation (problème étudié au chapitre sur la diététique cycliste).

▶ Servez-vous du baromètre

Il prévoit et annonce le temps. On comparera ses indications avec celles des services météo nationaux et régionaux. Plus la hausse ou la baisse de pression atmosphérique est lente et régulière, plus l'amélioration du temps ou sa perturbation ont de chance de durer. Une baisse très rapide du baromètre peut indiquer le passage d'une perturbation à proximité, pas forcément le mauvais temps. Si vous changez de résidence, faites régler le baromètre par un spécialiste, un changement d'altitude, même de 100 m, suffit à le fausser. Indispensables : deux thermomètres, un d'intérieur, l'autre à l'extérieur pour savoir comment vous devez vous habiller pour le vélo (tenez compte du vent : plus il souffle fort et frais, plus vous devez vous habiller).

7 - LE STRESS : RIEN D'INÉLUCTABLE !

▶ Pourquoi faites-vous du vélo ?

Certains s'y mettent uniquement pour satisfaire un besoin physique, d'autres par esprit de compétition, par souci de gloire personnelle, d'affirmation publique de leur personnalité, pour être « reconnu », d'autres dans l'espoir de dénicher un moyen de promotion socioprofessionnelle, quelques-uns (tout de même !) pour la détente, la balade, la découverte de la nature et des monuments historiques.

Certains pédalent juste pour médailles et diplômes, sans un but lucratif, ce qui signifie généralement se limiter à un niveau modeste, d'autres pour les primes et avantages en nature, d'autres en font carrément leur métier.

▶ Quelles motivations ?

Chaque adepte du vélo a les siennes, quel que soit son niveau. **Le vélo est devenu une mystique, un culte, avec ses rites, ses officiants, ses grands prêtres :** les grands tours, les grandes classiques, le record de l'heure, les descentes à tombeau ouvert du VTT, les raids à travers la Cordillère des Andes ou le Désert de la Mort. Une mystique qui se trouve dans tous les sports de grand fond : la longue durée des épreuves, des entraînements, a tout le temps de faire travailler les esprits, de permettre au doute de germer, d'accentuer ou de renverser les tendances positives de l'individu.

Avoir l'esprit de compétition ou du dépassement de soi est indispensable en pareil cas. Mais toutes et tous ne possèdent pas les moyens physiques et mentaux pour s'exprimer valablement dans le vélo ; ici intervient la loyauté vis-à-vis des autres comme de soi-même, l'acceptation des règles du jeu, toute une attitude positive où on se persuade chaque jour un peu plus qu'on a encore tout à apprendre, où on ne se prend pas pour plus « grand » que les autres après accomplissement d'un (petit) exploit personnel.

Positivez dès le saut du lit avec l'envie farouche de faire du vélo. Une fois dessus, accrochez-vous quand la pente et le vent de face s'accentuent, en pensant que, grâce à ces sorties un peu fastidieuses effectuées à la manière du pianiste qui « fait ses gammes », plus tard vous allez grimper les cols « en fumant la pipe ». Terminez votre sortie sur un rythme soutenu, vent dans le dos, gardant ainsi une bonne impression, ce qui contribue à vous rassurer sur votre forme physique.

Maintenez votre vélo propre, rutilant : un beau vélo n'est pas forcément un bon vélo, mais une jolie peinture crée l'ambiance ; comme le fait de se sentir habillé élégamment sur le vélo et après le vélo. **La mode avant et après vélo** vous transforme totalement une personne.

Sauf accident ou incident mécanique grave, n'abandonnez pas!

Si vous lâchez tout dès que cela commence à faire mal, vous ne terminerez jamais rien : c'est une mauvaise habitude à ne pas prendre. Si nécessaire, descendez quelques instants du vélo, marchez, détendez-vous et surtout alimentez-vous de façon à vous redonner du tonus, mais sans « petites pilules miracles », compris ?

C'est lorsqu'on a réussi à vaincre ces moments difficiles qu'on ressent alors une euphorie inégalable : il suffit d'arriver à un bon niveau d'entraînement tout en roulant à son rythme ou juste un peu au-dessus afin de repousser ses limites. Pas besoin d'être champion.

Mais ne vous dopez pas en pédalant trop : l'activité physique génère des endorphines, un type d'hormones en provenance de l'hypophyse, donc du cerveau, dont l'effet est pareil à celui de la… morphine, le seul dopage naturel autorisé par le C.I.O. comme par l'U.C.I. !

Inscrivez-vous dans un club.

Vous apprendrez et comprendrez mieux le vélo, vous éviterez (au moins en partie) l'égocentrisme du sportif, surtout de compétition. Au lieu de rouler seul, sortez en groupe, faites-vous des relations amicales. C'est uniquement lors de la dernière phase de préparation d'une épreuve difficile qu'il peut être nécessaire de vous entraîner individuellement, plutôt que d'être obligé de vous soumettre au rythme des autres, trop ou pas assez vite, trop ou pas assez long.

Démystifiez la notion de « souffrance ».

Rien à voir avec celle du malade, de l'opéré au réveil, de l'accidenté. Habituez-vous simplement à l'effort, progressivement, par paliers, avec autant de phases de récupération. Organisez-vous, pliez-vous à la systématique, à la persévérance, à l'obstination (surtout quand les résultats tardent à venir, quand les jambes pèsent une tonne, la tête bout, la gorge est en feu, le cœur à 180).

À partir de la trentaine on observe une plus grande stabilité sociale chez les sportifs : généralement, ils sont installés, leur capacité physique reste intacte s'ils se sont maintenus en forme ; le fait d'avoir passé le cap des études et d'avoir trouvé un travail leur dégage l'horizon en vue des loisirs.

Comme les sports d'endurance diminuent le taux d'hormones de stress, ils ne retirent que des bienfaits du vélo. Bon pour l'équilibre psychique, le vélo pourra se révéler un plus sur la carte de visite, disons sur le C.V. en cas de recherche d'un emploi nouveau : dans la presse, les biographies des personnalités font de plus en plus état du sport pratiqué ; pour un employeur, le fait de ne pratiquer aucun sport peut être considéré comme une négligence de la part d'une personne à l'égard de sa santé et de son équilibre général. D'autant que la vie professionnelle exige ténacité, volonté de réussir, application méthodique et soutenue sur de longues périodes, voire « agressivité », des qualités indispensables également pour réussir dans le cyclisme. « Merckx a réussi parce qu'il est méchant de caractère », contrairement à d'autres coureurs, a-t-on pu dire en son temps.

◗ Fixez-vous des objectifs !

Une religion le vélo ? Mais pas une secte ! Alors ne vous polarisez pas uniquement sur le vélo. Concentrez-vous sur ce que vous faites, mais regardez les autres et le reste de l'existence. Passionnez-vous, mais ne cassez pas les pieds aux autres avec vos histoires vélocipédiques : juste ce qu'il faut pour leur donner envie d'enfourcher à leur tour une selle. D'autant que, à force de trop leur en dire, le jour où vous « ferez un truc », ça passera inaperçu.

Planifiez vos activités de façon cohérente, un temps pour tout avec un objectif (trois ou quatre rendez-vous importants durant la saison en vue desquels vous vous préparerez spécialement). Le reste du temps entraînez-vous, pédalez pour le plaisir de rouler.

En cours de saison, évaluez vos résultats, tirez-en des conséquences positives pour la suite. Élaborez une stratégie personnelle pour progresser en vous connaissant bien, en vous dotant des moyens de la réussite (le matériel d'abord), entourez-vous du maximum de garanties, évitez les soucis inutiles.

Rentrez en vous-même à l'approche d'une épreuve, surtout la veille et le jour même. Après le trac précédant le départ, suivra un net sou-

117

lagement une fois le départ donné. C'est le moment de ne pas vous laisser guider par vos impulsions, de ne pas vous laisser amoindrir par l'émotivité, la bonne impression d'un départ réussi contribuant à l'optimisme sur la suite. Mais la concentration et la décontraction ne sont pas évidentes quand il faut allier vitesse, coordination des mouvements, attention permanente à l'état du sol et aux dangers de toute nature susceptibles de surgir à chaque instant sur la route ou le chemin. Utilisez tous les petits trucs : ainsi un peu d'eau sucrée au fructose ou une boisson chaude contribuent à la décontraction avant le départ. Et vous verrez votre stress d'avant épreuve diminuer avec l'accoutumance aux grands rendez-vous : vous vous connaîtrez, vous aurez pris de l'assurance et vous aurez tellement l'habitude des lignes de départ et de l'atmosphère des pelotons, que vous serez vacciné…

Les compétitions de l'après-midi comportent un avantage : on est généralement moins stressé que si elles se déroulent le matin. Pas besoin de se réveiller de bonne heure : si on éprouve de la difficulté à s'endormir, cas fréquent, on pourra toujours faire la grasse matinée si l'épreuve est l'après-midi. Enfin, on a en ce cas plus de temps pour se transporter jusqu'au lieu de départ.

▶ Doute ou confiance en soi ?

La question vaut particulièrement pour les longues distances. **But : terminer !** Quitte à compter kilomètre par kilomètre, virage par virage, bosse par bosse. L'objectif n'est pas de souffrir mais de franchir la ligne d'arrivée.

Pour y parvenir, mettez-vous en condition, augmentez votre capital confiance : par un entraînement spécifique vous préparant à l'effort, au poids de forme, en arrivant à savoir qu'avec votre excellent vélo vous réunissez toutes les conditions pour atteindre le but fixé. Reste la volonté de le faire. Et pour ne pas vous trouver surpris le jour de l'épreuve, visualisez dans votre tête celle-ci morceau par morceau dans les jours qui la précèdent, en examinant toutes les éventualités.

Si vous échouez, vous reviendrez, plus décidé encore, et vous réussirez : cela nous est arrivé et nous pouvons en témoigner.

Repoussez vos limites, vivez votre rêve, tirez parti de vos erreurs afin de ne plus les renouveler, ne vous contentez pas de l'approximatif : soyez précis, méticuleux, **n'abandonnez rien au hasard**, ni dans la préparation (endurance, résistance), ni dans le matériel et l'équipement (d'excellente qualité), ni dans le repérage du parcours, ni dans la diététique, ni dans l'entraide avec les coéquipiers (du club ou les partenaires d'entraînement). Il reste toujours quelque chose de mieux à faire dans le futur. **Mais, pour réussir, ayez envie de vous « éclater », de vous faire plaisir sur le vélo.**

Vous n'en doutez plus un instant : pour réussir, la tête est aussi importante que les jambes. Dans la période qui précède une épreuve, surtout si c'est le grand rendez-vous de la saison, on doit assister à une montée en puissance, une activation au niveau mental. Le sportif éprouve le besoin de sans cesse se rassurer sur ses possibilités ; seuls les vieux briscards (et encore) finissent, à force de multiples expériences, par se connaître suffisamment pour ne pas se faire trop de soucis : le jour « J », ils savent qu'ils seront présents au niveau supérieur. **Tout le problème est d'arriver à vous connaître :** ce dont votre corps a besoin, ni trop ni pas assez, ce qu'il peut accomplir. Soyez à son écoute, sentez ses réactions, sachez quand vous lui en demandez trop : le seuil à ne pas dépasser pour ne pas passer de la grande forme (enfin atteinte) à la méforme, la marge étant étroite.

◗ Pensez à votre épreuve, mais en termes positifs !

Ce n'est pas la finale olympique et le pays entier n'est pas suspendu à vos résultats. On ne vous paye pas pour rouler. Vous pédalez pour le plaisir dans les merveilleux décors que seul le vélo peut procurer, et avec des gens sympathiques puisque partageant une même passion. Connaissant vos points forts comme vos points faibles (exemple : vous grimpez bien mais vous descendez mal), bâtissez une stratégie en conséquence et ne soyez pas surpris de ce qui va se passer. Lors de la dernière épreuve ou des ultimes entraînements poussés, vous avez perçu de bonnes sensations, peut-être des sensations jamais éprouvées auparavant ; vos concurrents n'ont rien vu, mais vous, vous savez que vous êtes en progrès, que le temps et la place obtenus récemment ne reflètent pas votre véritable valeur. Vous progressez et maintenant cela va « payer ».

▶ La meilleure préparation à la compétition est la compétition elle-même

Une ou deux épreuves « sacrifiées » où vous ne jouez pas la performance, encore moins la « gagne », mais qui servent de rodage, de mise au point. Par exemple en partant lentement pour finir très vite à l'allure de la future épreuve qui seule compte. **Ajoutez quelques entraînements dans des conditions proches de la compétition**, sur des distances réduites cela va sans dire : physiquement et mentalement vous vous mettez dans le coup. Ainsi, vous savez à l'avance que vos jambes et votre souffle tiendront le rythme des premiers kilomètres rapides, et que votre endurance testée lors des sorties longues n'est pas une chimère.

Sachant tout cela, et sachant que les autres ne le savent sans doute pas, vous vous mettez en confiance. **La seule inquiétude peut venir des ennuis mécaniques** qui vous écarteront des bonnes roues, mais cela fait partie des impondérables du vélo, encore peut-on limiter la casse par un matériel impeccable, la façon de rouler, la bonne trajectoire (importante pour diminuer les risques de crevaison et de chute) et une assistance technique digne de ce nom.

La peur, le trac n'ont pas que des effets négatifs avant une épreuve. Dans l'heure précédant l'effort, le cœur accélère son rythme, la concentration est à son paroxysme, le pipi de la frousse vous soulage ; avec les kilomètres de l'échauffement, vous serez fin prêt pour le départ, sans problème. Et comme **sur votre maillot il n'est pas écrit « impossible »**, vous allez pouvoir vous faire exploser les jambes !

Vos concurrents se chargeront de vous révéler vos points faibles, ils vous rendront service ; plus tôt vous vous en apercevrez, mieux cela vaudra. C'est pourquoi les épreuves de faible niveau qui font illusion sur vos capacités et votre niveau actuel, ne sont valables qu'en début de saison, juste pour vous mettre progressivement dans le coup ; le reste du temps, **n'hésitez pas à vous frotter à plus fort que vous** afin de savoir ce qu'il vous reste à faire pour arriver au niveau supérieur, au lieu de vous bercer d'illusions avec des victoires ou des places d'honneur qui finissent par ne rien prouver.

Un jour, peut-être, vous deviendrez champion ou championne à votre tour : le plus dur commencera, car il faudra le rester, du moins un certain temps. L'enthousiasme sera un puissant facteur d'optimisme : votre encadrement jouera un grand rôle, les responsables du club, votre entraîneur ou la personne chevronnée qui vous conseille.

◗ La souffrance physique

La souffrance physique et la peur de l'effort renouvelé font partie des fantasmes susceptibles de hanter les jours (et les nuits) des cyclistes et vététistes avant l'épreuve ou seulement l'entraînement-test poussé. En cours d'épreuve, vers le début, quand la fin semble un objectif hors d'atteinte tant elle est éloignée, tant le rythme est élevé, c'est le moment où il faut s'accrocher le plus. L'apport en sucres rapides est nécessaire, mais insuffisant sans une motivation profonde doublée d'une inébranlable confiance en soi : c'est au fond de vous-même qu'il faut trouver les ressources pour ne pas fléchir, pour franchir ce cap difficile et continuer de plus belle.

Encore faut-il bâtir l'avenir sans tirer des plans sur la comète, sans se fixer des objectifs irréalistes : **pensez « progression » sur deux ou trois ans**, réajustez votre programme d'entraînement (en plus ou en moins) en fonction des résultats ou des aléas de la vie quotidienne. Ne faites pas une maladie des objectifs non atteints : regardez le (bas ?) niveau d'où vous venez, qui était devant vous (des costauds ou des « charlots » ?), tous ceux et celles qui arrivent après vous, outre ceux et celles qui ont abandonné. Vous au moins, vous n'en n'êtes pas là : c'est une première victoire.

8 - Ne sacrifiez pas votre entourage

Souvent pratiqué en équipe, le vélo n'en demeure pas moins un sport individuel : l'aptitude à se sortir seul des difficultés est essentielle, mais cela dépendra des encouragements qu'on reçoit autour de soi, de ses penchants.

Certains ont besoin de la lutte d'individu à individu pour catalyser leur énergie et leur agressivité, potentialiser et libérer leur influx nerveux; ils, elles adorent la bagarre dans les pelotons, tandis que d'autres s'expriment mieux lors de l'effort solitaire quand la route ou le chemin leur appartient en totalité.

Beaucoup doivent se débrouiller seuls parce qu'on ne s'occupe pas d'eux ou parce qu'ils n'ont pas les moyens de s'offrir les conseils de personnes compétentes autant que les stages coûteux. Le risque est grand, dès les premiers succès, suivis de quelques revers, de céder au découragement; il faut alors garder la tête froide, apprécier ses succès comme une récompense et un encouragement, non comme une fin.

D'où la nécessité de ne pas se croire supérieur aux autres, de ne pas perdre toute simplicité, tout égard envers autrui sous prétexte qu'on l'a « écrasé » une fois. C'est le propre des grands champions et des grandes championnes de savoir faire la part des choses : autant certaines vedettes débordent de sympathie, autant certains cyclistes « moyens » se révèlent pédants à souhait… Sans doute les premiers sont-ils conscients que d'autres ont eu moins de chance, ont été moins aidés, moins encouragés, ne sont pas nés avec des dispositions naturelles, ne disposent pas d'autant de loisirs pour se préparer.

À l'approche d'une grande épreuve, l'entourage d'un champion ou d'une équipe doit savoir tendre un fil protecteur autour de ces derniers; à votre niveau, vous devez apprendre à vous concentrer. Une fois la course lancée, il n'est pas interdit de faire prévaloir votre climat de force, d'impressionner les concurrents en vous plaçant en tête du peloton, en lançant des petits démarrages, pas seulement pour les fatiguer, mais pour que tous comprennent que vous ne vous en laisserez pas conter. Une légère accélération est un moyen classique de jauger la forme des concurrents, à moins que ces derniers se refusent à tomber dans le piège.

Les gens viennent au sport pour se changer les idées, pour trouver un refuge de pureté, d'idéal, d'air pur (à tous les sens du terme !) : est-ce toujours ce qu'ils trouvent dans le cyclisme ? Le vélo (de route), par suite du problème de la pénétration dans l'air, impose des alliances, des relais pour faire face au vent, engendre nécessairement une tactique au prix de mille astuces. De l'astuce pour bluffer l'adversaire à la combine voire à la magouille, il n'y a qu'un pas ou plutôt un tour de roue que certains effectuent allégrement. Rien à voir avec le ski de fond ou le marathon. D'autant qu'en vélo, on triche souvent avec soi-même : fatigué, il suffit de s'arrêter de pédaler, de se laisser aller dans les descentes, surtout de se laisser aspirer par les bonnes roues. Allez faire ça en aviron…

Enfin, capitales nous semblent être les relations entre le vélo et la famille. Souvent, le sport devient le moyen le plus sûr d'écarteler une famille entière : au niveau de sa pratique (absences fréquentes et prolongées du domicile) comme au niveau de l'écoute des programmes de télévision (les interminables soirées hivernales de football qui n'intéressent pas forcément votre compagne…). Alors pour ne pas faire tapisserie chez vous avec « votre sport », mettez tout le monde dans le coup, puisque vous prétendez que le vélo est un sport formidable : donnez une pancarte d'encouragement à la grand-mère, un chrono à votre épouse, confiez le ravitaillement au petit frère ou à votre jeune fils. Mieux, faites pratiquer le vélo à toute la famille : enhardie par un quelconque succès de votre part, elle y prendra (peut-être) goût.

Mais c'est au niveau du couple que tout reste à faire. Les femmes semblent d'autant plus désavantagées lors des compétitions cyclosportives que lors des compétitions qui leur sont réservées on les fait courir sur des distances plus courtes que les hommes. Ca va au plus mâle ! Sans compter que les cadres de vélo sont souvent conçus en fonction de l'anatomie masculine : il n'est point rare que le tube supérieur soit trop long pour une femme ; une femme qui pratique assidûment le vélo a intérêt, bien souvent, à commander un cadre sur mesure.

Rouler à deux (homme/femme, homme/homme, femme/femme, parent/enfant) suppose qu'en montée l'un attende l'autre, que l'on discute sans nuire à la concentration et au plaisir de ressentir les sensations du pédalage. La vitesse n'est pas un objectif prioritaire : solidarité, amitié, émotions prennent le pas sur la recherche de la performance. Le meilleur des deux se sacrifie pour l'autre. Mais après un départ commun, on peut se séparer pour revenir à la maison, à l'hôtel ou au camping. Chacun conseille l'autre, échange des informations sur ce qu'il ressent.

Pousser de la main un partenaire fait partie de la gentillesse souhaitable, à condition que cela intervienne uniquement en un moment de grande difficulté : il ne faut donc pas que cela devienne une habitude et que le partenaire adopte une mentalité d'assisté : les autres jours, surtout lors d'une épreuve, il sera livré à lui-même.

Bien conçues, des sorties communes en vélo réunissent couple, famille, amis, club. Les plus « costauds » enseignent la technique aux néophytes : rouler roue dans roue, changer de vitesse au bon moment, choisir la bonne trajectoire, éviter les obstacles, adopter un bon rythme.

La déprime du lundi matin

Soyez votre propre « psy ». Au bureau, à l'usine, à la fac comme à l'école ou à la maison, dès le petit-déjeuner le lundi matin, l'ambiance n'est pas toujours à la joie. Ne parlons pas de ceux et celles qui reviennent fourbus de leur dernière expérience sportive : la jambe traînante, ils s'affalent sur leur siège, comptant les minutes avant la pause-café. Le spectacle qu'ils offrent ce jour-là ne risque pas d'encourager leurs collègues à se lancer à leur tour dans l'aventure vélocipédique !

Et pour peu que l'actualité dans les médias ne disserte que de quelque nouvelle catastrophe, la semaine débute sous les plus mauvais auspices. Alors, mettez-vous dans la tête que le lundi on n'est pas dans les 40e rugissants : on remonte vers l'Équateur ! Et les routes les plus difficiles sont celles qui mènent aux plus beaux panoramas. Le lundi, marchez, effectuez des exercices respiratoires, des étirements, ne vous gavez pas de nourriture ni de café ou d'autres toniques comme le thé (un peu mais pas trop) ; passez-vous plusieurs fois par jour un peu d'eau fraîche sur le visage et derrière les oreilles, cela réveille mieux que tous les dopants. **Trouvez vite un sujet de dérivation, un nouveau but attractif à atteindre**, regardez les choses positives qui s'annoncent cette semaine, les espoirs que vous mettez en elles.

Ce peut être le moment d'apprendre une méthode de relaxation grâce à un spécialiste.

9 - ÉVITEZ LES CONTRE-PERFORMANCES

▶ Quelle fatigue ?

La fatigue limite la durée et l'intensité de l'effort : cyclistes et vététistes doivent donc savoir, par eux-mêmes, en déceler les premiers symptômes afin de ralentir ou de s'arrêter à temps.

• *Trois types de fatigue*

– **La fatigue physiologique** due à l'exercice physique avec apparition de légères courbatures, somnolence, perte de poids compensée au bout de deux ou trois jours ; elle disparaît avec l'arrêt de l'effort et un repos normal.

– **La fatigue due au surentraînement** avec perte anormale de poids, accélération du pouls, vertiges (hypotension), anémie dans le sang, manque d'appétit, insomnie… Deux ou trois entraînements de trop suffisent à la causer.

– **La fatigue due à des causes extérieures** au cyclisme (maladie, foyer infectieux dans les dents ou amygdales, etc.). Le remède est d'ordre médical : consultez votre médecin du sport ou un généraliste.

Mais ne confondez pas fatigue profonde avec lassitude normale après une journée dans un bureau : au lieu de vous affaler sur un fauteuil ou un lit, pédalez, nagez, trottinez, respirez, transpirez, vous reviendrez en pleine forme !

Le coup de pompe en fin de matinée ou en milieu d'après-midi est généralement dû à une hypoglycémie, mais ne correspond pas forcément à une véritable fatigue.

Autres indices de fatigue : pâleur du visage, traits tirés, langue chargée, sueurs froides, frissons, crampes, vomissements, un soudain manque d'intérêt pour le sport.

Dans tous les cas, consultez votre médecin, sous peine de vous voir accusé d'exercice inexpérimenté de la médecine.

▶ Les erreurs les plus fréquentes :

– En rajouter quand on se sent en bonne forme.

– Une sortie en vélo éprouvante dès le lendemain ou surlendemain d'une compétition ou d'un brevet : **le repos fait partie de l'entraînement !**

– 15 ou 20 km de trop lors d'un entraînement.

– Du fractionné trop fréquent, sans un ou deux jours de récupération, ou du fractionné trop intense.

– La transformation de certains entraînements en véritables courses contre-la-montre ou compétitions entre copains. (Ce qui n'a rien à voir avec les tests chronométrés à allure de compétition que nous conseillons par ailleurs, à condition de ne pas en abuser).

– La non prise en compte des activités professionnelles (avec les temps passés en transport) et familiales dans le programme sportif.

– La reprise trop précoce après maladie (même une petite grippe), opération ou accident.

▶ Les remèdes

– Alterner période d'entraînement soutenu voire intense avec période de repos (faites du jus) : pas de sorties dures l'une à la suite de l'autre.

– Vous entraîner selon une progression intelligente, par paliers de plus en plus durs, mais à condition d'avoir « digéré » les entraînements précédents.

– Aménager les emplois du temps afin que chaque activité ne déborde pas sur l'autre.

– Établir un programme raisonnable de compétitions, brevets, rallyes : certaines fins de semaine, pas d'épreuve, seulement une petite sortie, pour respirer, transpirer, vous délasser. Pour les cyclosportifs notamment, pas plus de deux « cyclosportives » de longue distance par mois.

– Rouler de préférence le matin ou en milieu de journée afin de sécréter les fameuses endorphines qui vous mettront en forme (et de bonne humeur !).

– Éviter la saturation physique et mentale en délaissant certains jours le vélo pour un autre sport, outre des étirements appropriés.

– Arriver le jour de la compétition **plutôt sous-entraîné que surentraîné :** dans le premier cas, vous ferez toujours quelque chose en vous accrochant, en puisant dans votre acquis foncier.

– Effectuer de petites siestes en cours de journée.

– Ne jamais oublier les étirements quotidiens.

– Vous faire masser par un kiné après une épreuve ou tout entraînement difficile.

– Surveiller la qualité de votre sang et l'acidose (voir plus loin).

– Sur prescription médicale uniquement, prendre un antiasthénique (un remontant) efficace et non dopant.

– Vérifier votre tension.

10 - LE BILAN SANGUIN

Aujourd'hui ce n'est plus un luxe de « pro ». Votre médecin doit vous rédiger une ordonnance si vous désirez effectuer une analyse de sang auprès d'un laboratoire spécialisé. Vous devez obtenir au moins :

– bilan de fer (fer sérique, ferritine, transferrine ou coefficient de saturation de la sidéophylline),

– magnésium érythrocytaire,

– potassium, calcium, phosphore sérique,

– formule sanguine.

Le bilan est obtenu sous 48 heures et votre médecin en tirera les conséquences quant à une éventuelle recharge dans tel ou tel domaine. On peut aller plus loin, précise le Dr Mathieu du CMS de Lyon : « En plus de la prise de sang normale, on demande au sportif de faire un effort physique et on procède à une nouvelle prise de sang juste après, afin de déceler les carences : on mesure les écarts entre la baisse d'un produit sanguin, mettons le sucre, la glycémie avant et après effort. Cela permet de déceler des troubles. On peut avoir au repos des valeurs limites, mais normales, et à l'effort voir ces valeurs s'effondrer. »

Le bilan sanguin permet notamment de connaître :

– **Le taux d'hématocrite**, le volume occupé par les globules rouges dans le sang, la limite autorisée étant à 50 % : on se sert de ce taux pour tenter de déceler une éventuelle prise d'EPO. Au-dessus de 50 % le coureur est suspecté…

– **Le manque de magnésium**, susceptible de causer crampes, vertiges, tremblements, fatigabilité, diminution de performances donc, outre la tétanie (contraction musculaire avec picotements des doigts et du pourtour de la bouche). Le médecin peut vous prescrire une cure de quelques semaines, surtout en été, à cause de l'abondante transpiration. Cette petite cure est plus efficace que celle qui consiste à se bourrer de chocolat (gras, donc indigeste, cause de constipation) ou de raisins secs (prise excessive de sucre si on veut arriver à une quantité suffisante de magnésium).

– **L'insuffisance en fer.** Celui-ci tient un rôle vital dans le transport de l'oxygène et le processus de respiration cellulaire. C'est un constituant de l'hémoglobine. Le sport à haute dose peut occasionner des pertes en fer dans l'urine et le tube digestif, outre la sueur. Et l'alimentation des cyclistes, privilégiant les glucides, tend à éliminer les viandes rouges (et le poisson maigre) riches en fer. Les rayons diététiques des vélocistes et des magasins d'alimentation proposent des préparations associant minéraux et vitamines avec pour objectif de recharger nos accus ; l'ennui est que les cyclistes ont du mal à s'y retrouver, compte tenu du dosage de ces matières, différent selon chaque produit. De toute façon, **en cas de véritable carence**, donc de risque d'anémie, les petites pilules du commerce ne suffiront pas.

« Le rééquilibrage en fer peut s'effectuer par injection intramusculaire de fer (Lucien®), ou par voie orale (Ferrograde®, Tardyferron®), sans excès sous peine de diarrhée ou de cirrhose du foie », assure le Dr Mathieu, qui ajoute : « Compte tenu des progrès de la médecine, on ne devrait plus observer de carences dans l'organisme ». En revanche on peut se montrer inquiet pour ces coureurs dont le bilan sanguin permet de déceler une quantité de fer excessive dans le sang : si dans quelques années ils souffrent de cirrhose du foie, comme les grands alcooliques, mais sans avoir jamais bu d'alcool (comme tout sportif qui se respecte), ils regretteront de s'être « chargés » lors de leur prime jeunesse.

Pour les « cyclos », le repos suffit souvent pour rétablir l'équilibre. Sinon, dans les cas de carence grave, l'anémie guette. C'est le cas **pour les femmes** (à cause de leurs règles qui leur font perdre du fer) et des **triathlètes** (à cause de la course à pied : ceux-ci cassent des globules rouges en abondance s'ils pratiquent celle-ci longuement et intensément).

Moment du bilan sanguin annuel : en fin de saison puis au printemps, voire avant une grande compétition, trois semaines avant afin d'avoir le temps de remédier à une carence en fer ou magnésium par exemple. Les coureurs de haut niveau vont jusqu'à un bilan sanguin par trimestre.

11 - ÉVITEZ L'ACIDOSE

La pratique du sport tend à élever le taux d'acidité de l'organisme, une cause possible de blessures et de mauvaise forme ; une alimentation mal équilibrée y mène également. On peut y remédier ainsi :

▶ **Mesurez votre pH urinaire avant, après une compétition et un entraînement dur**

Procurez-vous en pharmacie une bandelette réactive dont vous plongerez un morceau dans l'urine récoltée dans un petit flacon : selon la coloration que prend la bandelette, vous obtenez immédiatement le taux d'acidité. L'emballage de la bandelette comporte des couleurs numérotées : acidité importante, zone neutre, au-delà zone basique (bon équilibre). Certains sportifs effectuent le test plusieurs fois par jour : par exemple en fin de matinée pour savoir s'ils vont poursuivre leur entraînement dans l'après-midi ou la soirée, selon le taux d'acidité.

▶ **Modifiez votre alimentation :**

– **En évitant les aliments acidifiants** (viandes, charcuteries) dans les 24 heures précédant et suivant une compétition, sauf durant les courses par étapes, sinon les coureurs ne mangeraient pas de viande durant une, deux ou trois semaines, alors que les besoins en protéines sont considérables.

– **En évitant les substances acides** (fruits insuffisamment mûrs, sodas, citrons, oranges…).

– **En absorbant plus** d'eau minérale alcaline, de légumes verts cuits, de pommes de terre, de bananes, de fruits secs (sauf l'abricot sec).

– **En absorbant des minéraux basiques** (poudres ou comprimés proposés dans les rayons de diététique sportive).

– **En effectuant de simples sorties d'oxygénation :** courtes distances, petits braquets, terrain plat.

– **En prenant des bains et douches fréquemment** (eau bien chaude).

12 - PEUT-ON DONNER SON SANG EN PÉRIODE D'EFFORTS PHYSIQUES IMPORTANTS ?

Si une personne se trouve en danger, la réponse va d'elle-même. Dans les autres cas, il faut seulement savoir que si on donne son sang, il faut augmenter la quantité de fer dans l'alimentation : sous forme de viande rouge, par exemple, avec de la vitamine C. Il faut éviter la compétition et les efforts physiques importants durant la quinzaine de jours suivant le don de sang, sous risque d'anémie.

Un donneur de sang volontaire habituel fait un don quatre fois par an. Il faut un certain temps avant de retrouver sa quantité habituelle, normale, de globules rouges. D'où la nécessité pour un tel donneur (sportif de surcroît) de faire contrôler de façon régulière le taux de globules rouges, d'hémoglobine et son hématocrite ; un taux d'hémoglobine et d'hématocrite haut assure une capacité de transport de l'oxygène maximale, d'où de meilleures performances.

Chapitre V

Pour réussir,
que boire ?
Que manger ?

1 - LA DÉFAILLANCE, POURQUOI ?

Nous venons de parler d'efforts physiques souvent longs et intenses, d'entraînements, voire de compétitions dans toutes les conditions (froid, pluie, chaleur, montagne). Voici le moment d'insister sur la diététique propre à ce type d'activité : notre but, ici, sera avant tout de vous éviter les erreurs les plus communément commises par les cyclistes et vététistes peu ou mal informés.

▶ Des données essentielles

Les aliments se répartissent en :
– viande, poisson, œuf (protéines, lipides),
– produits laitiers (protéines, lipides, calcium),
– corps gras,
– céréales (riz, pommes de terre, pâtes, semoule : les glucides lents),
– fruits et légumes (glucides rapides avec minéraux, vitamines et fibres),
– boissons?

Au cours de la journée, une répartition équilibrée donne :
– 2 rations de protides (viande, poisson, œuf, outre fromage et lait),

– 4 rations de glucides (lents et rapides),

– 1 ration de lipides (beurre, huile).

L'apport calorique dépend de l'importance de l'exercice physique.

Ajouté aux autres activités, au climat, à l'âge (période de la croissance pour les jeunes).

▶ Sucres lents

Pâtes, riz, pommes de terre, céréales, féculents, pas de saveur sucrée, assimilés lentement pour servir de réserve de glucides dans les muscles et le foie. Indispensables aux sportifs, surtout pour les efforts de fond. Notre organisme est constitué de plusieurs kilos de lipides, mais les réserves en glucides ne totalisent que quelques centaines de grammes.

▶ Sucres rapides

En principe, saveur sucrée, l'organisme les assimile (presque) immédiatement selon les cas (miel, glucose, dextrose, fructose purs, utilisables de suite par l'organisme, sucre raffiné au bout d'un délai un peu plus long de quelques minutes). Absorbés en quantité dépassant les besoins, ils se transforment en graisse. Méfiez-vous donc des petites sucreries que l'on est tenté de prendre à tout instant de la journée (en dehors de la pratique sportive) : elles n'amènent presque rien sur le plan énergétique et vont peut-être vous faire prendre du poids.

▶ Nombre de calories nécessaires par jour

Il dépend de votre activité, restons-en donc à des données de base :

– **Entraînement léger** (une à deux sorties en vélo par semaine plus des exercices physiques type marche, étirements) : 2 500 à 3 000 calories.

– **Entraînement moyen** (deux à trois sorties en vélo par semaine, plus d'autres exercices : 3 000 à 3 500 calories).

– **Entraînement poussé** (vélo plus de trois fois par semaine, dont une sortie longue) : 3 500 à 4 000 calories. Importante ration de sucres lents lors des deux ou trois derniers repas précédant la longue distance (120 km et plus). Ration copieuse après cet effort pour reconstituer les réserves en glucides de l'organisme, sans oublier les autres aliments (légumes et fruits frais, protéines, lipides). Immédiatement après un entraînement (ou même une randonnée) de longue distance (150 km et plus), procédez comme pour la récupération après une épreuve (voir plus loin § 4).

▶ Les erreurs habituelles

– **Vous bourrer de vitamines achetées en pharmacie,** alors que vous ne faites pas le moindre effort pour équilibrer votre alimentation quotidienne.

– **Additionner les efforts :** faire du sport immédiatement après un repas ou faire un repas juste après un gros entraînement ou une épreuve. Une exception : si vous éprouvez une véritable fringale (le cas par temps frais) ; en fait, après une compétition on éprouve seulement une grosse soif et il faut parfois attendre deux ou trois heures avant d'avoir faim.

– **Absence de véritable petit-déjeuner** puis repas de midi trop copieux, viandes et mets lourds le soir (la viande demande plusieurs heures pour être digérée) ; c'est la raison pour laquelle les coureurs qui, autrefois, ingurgitaient deux ou trois pièces de bœuf juste avant une épreuve, étaient dans l'erreur.

– **Manger trop vite,** sans mastication véritable, dans une ambiance tendue (querelles familiales, lecture du journal, film à suspense sur la TV, journal télévisé relatant des catastrophes) ; écoutez de la musique, insalivez même les boissons.

– **Ne jamais vous mettre à table à heures régulières.**

– **Manger de la viande crue, du poisson dont la fraîcheur laisse à désirer** (intoxication classique, surtout dans les restaurants ayant peu de clients, a fortiori durant la saison chaude où les produits se conservent mal), certaines charcuteries (hot dogs, saucisses et saucissons douteux), en été les fruits de mer, les crustacés, en toutes époques la viande hachée gardée crue plus de 12 heures même au réfrigérateur et qui devient un foyer de germes (la faire hacher devant vous par le boucher et la manger au repas suivant).

– **Ne pas laver les fruits crus** avant de les mettre à table, **oublier de vous laver les mains plusieurs fois par jour** (surtout avant de passer à table comme pour être plus présentable vis-à-vis des autres).

Si vous êtes sujets aux aphtes (causés par les fruits crus et le gruyère par exemple), rincez-vous la bouche après le repas. Il existe un vaccin sous forme de pastilles à sucer plusieurs fois par jour durant deux semaines.

– **Ne pas effectuer une analyse de selles** en cas de troubles digestifs à répétition.

– **Vous laisser envahir à la maison par les animaux domestiques**, pire par les animaux exotiques ; tous sont susceptibles de vous transmettre diverses maladies. Évitez une trop grande promiscuité, faites-les examiner et vacciner périodiquement par le vétérinaire.

– **Supprimer totalement le sel :** nous écrivons par ailleurs qu'il faut en éviter l'excès (prise de poids ou non-amaigrissement), mais le sel est indispensable en période de transpiration importante ; en ce cas, en ajouter un peu plus dans les plats afin de compenser les pertes dues à la sueur.

– **Abuser de la viande :** ne dépassez pas 200 grammes par jour.

– **Tremper pain, biscottes, brioches** dans le lait, le thé ou le café ; ils contiennent des sucres lents et doivent donc être mastiqués.

– **Boire du café au lait**, une boisson très indigeste : buvez-les séparément, car à leur arrivée dans l'estomac ils ne s'accordent pas, d'où une lourdeur, une digestion difficile avec de petits malaises, voire des vomissements (surtout en voiture) en milieu de matinée.

– **En matière de café**, **ne pas établir** une distinction entre le Robusta et l'Arabica : le premier est plus riche en caféine, trop pour nombre de personnes.

– **Tomber dans le piège des produits « biologiques » ou « diété-tiques »** où le meilleur côtoie le pire ! N'achetez pas (ou plus du tout) n'importe quoi : lisez attentivement les mentions (composition en sucres, sodium, graisses surtout ; dates limite de conservation ; poids et prix). Ne payez pas plus cher des produits que vous pouvez trouver sous une autre forme plus traditionnelle, souvent dans le même magasin. **Les vrais produits biologiques** doivent porter un label officiel garantissant leur caractère naturel (pas d'engrais chimiques pour leur culture, par exemple). Un peu partout, il existe des marchés en plein air ou des rayons « bio » ; c'est excellent mais un peu plus cher pour l'instant, les quantités produites étant moindres.

▶ **La sagesse vous conseille**

– **De donner la préférence** à la cuisine faite chez vous, en évitant les graisses recuites.

– **De réduire** votre ration alimentaire quotidienne en cas d'arrêt ou de net ralentissement de la pratique sportive.

– **De respecter**, sauf exceptions, la « loi des trois heures » avant un entraînement ou une épreuve.

– **De vous alimenter** non pas sur trois repas mais sur quatre : ajoutez une collation en milieu d'après-midi, avec régularité, car l'organisme finit par fonctionner comme une horloge et il lui déplaît d'être perturbé.

– **Pour tenir le coup** jusqu'en milieu de journée, l'absorption de sucres lents la veille au soir vous aidera beaucoup ; mais complétez-la par un petit-déjeuner d'autant plus abondant que la température est plus fraîche. Vous pouvez aller jusqu'à un quart des calories de la journée. Pour les sorties en vélo (et autres efforts sportifs) de faible durée très tôt le matin, deux heures en endurance par exemple, il n'est pas indispensable de vous lever à 5 heures pour respecter la loi des trois heures : une solide portion de sucres lents au dîner la veille, complétée au réveil par un café ou un thé avec quelques tartines, vous permettra de tenir la matinée, dans la mesure où vous avez mangé la veille au soir une bonne ration de sucres lents (exemple :

grosse assiette de pâtes). Pour des sorties courtes (60 à 90 minutes), surtout si vous souhaitez perdre du poids, partez à jeun avec seulement une tasse de café dans le ventre, et déjeunez au retour. Pour les sorties longues (et) ou intenses, une nouvelle prise de sucres lents le matin s'impose, mais en légère quantité, le reste des glucides étant pris sur le vélo sous forme de liquide et de barres.

– **De répartir** les protéines sur les trois repas principaux : viande ou poisson 150 à 200 grammes/jour, fromage type Comté 100 grammes, une ou deux tranches de jambon maigre, un ou deux œufs, un ou deux yaourts, des quantités suffisantes pour un poids de corps variant entre 60 et 75 kg.

– **De manger** du poisson frais (maigre) deux fois par semaine, au détriment de la viande.

– **De sortir** du réfrigérateur fromages et autres aliments à consommer froids au moins quinze minutes avant de les manger pour les absorber tièdes.

– **De ne pas aller** contre la nature en matière de boisson : si vous avez soif, buvez ! S'il faut éviter de trop boire en mangeant pour une bonne digestion, nous ne pensons pas qu'il faille imiter ces sportifs qui, dès leur arrivée à table, commencent par renverser leur verre afin de signifier clairement qu'ils ne boivent pas en mangeant. Les plats secs, notamment, sont à accompagner de gorgées de boisson. Mais il est juste de réserver l'essentiel de l'apport hydrique aux périodes qui précèdent et suivent les repas : trente minutes avant, trente minutes après.

– **De préférer l'eau minérale** (ou de source) à celle du robinet, en évitant les eaux médicinales à conseiller plutôt après l'effort, et en restant modéré sur les eaux gazeuses.

– **De faire attention** : jus de fruits, sodas, bières, alcools renferment environ 500 calories par litre ; c'est souvent par là que se prennent les calories inutiles. Ceci étant dit sans vouloir vous priver d'un verre de vin ou d'une coupe de champagne.

2 - LE COUP DE MOU : JAMAIS UNE FATALITÉ

Nous voici à la veille d'une grande épreuve : l'heure de vérité approche ! Inutile de bouleverser votre régime alimentaire : les bonnes habitudes, c'était ces dernières semaines que vous deviez les prendre, et surtout ces derniers jours où vous deviez impérativement commencer à accumuler des glucides. Afin d'éviter toute mauvaise surprise, vous aurez pris soin d'essayer à l'entraînement les produits que vous comptez absorber avant puis en cours d'épreuve, surtout s'il s'agit d'une longue distance : lors d'une sortie de 150 à 200 km en vélo, allez rouler aux mêmes heures que celles de la future épreuve, généralement le matin avec départ vers 7 heures ou 8 heures, et alimentez-vous la veille au soir, le matin au petit-déjeuner puis en cours de route, comme nous vous le proposons ici.

◗ Vous alimenter avant une épreuve

Les deux jours précédents

Commencez à accumuler les réserves de glucides dès le jeudi soir, en prévision de l'épreuve de fond du dimanche matin : une ou deux bonnes assiettes de sucres lents selon votre faim, même chose lors des deux principaux repas du vendredi, puis le samedi à midi.

La veille au soir

Le dîner que vous prendrez à ce moment-là sera le **dernier véritable repas entièrement assimilé par l'organism**e, que le départ de votre épreuve soit tôt le matin ou en milieu de journée : son importance est capitale. Il sera important en sucres lents, avec le moins de graisses possible : nous prenons généralement nos pâtes à l'eau, sans beurre ni fromage râpé. C'est la négation de toute gastronomie, et nous nous retrouvons généralement vacciné contre les pâtes pour une huitaine de jours ! Mais c'est le prix à payer, selon nous, pour éviter la grosse défaillance due à l'hypoglycémie.

L'ensemble des plats cuisinés seront faits « maison », surtout les pâtisseries. La solution pour ce repas de la veille au soir :

– **Classique**, avec environ 400 grammes de pâtes cuites (soit environ 150 grammes avant cuisson), un ou deux œufs durs, un yaourt, un ou deux fruits (banane par exemple, car riche en potassium) ; une quantité équivalente de riz, semoule, pommes de terre bouillies ou flocons d'avoine peut remplacer les pâtes. Évitez la viande, laquelle produit de l'acidose (reportez-vous à la fin du chapitre IV).

– **Plus « branchée »**, avec un aliment complet proposé par un laboratoire de produits diététiques : une farine à délayer dans l'eau puis à passer au four ; de goût agréable (sucré, mais légèrement), sa digestion est très rapide et on peut en fractionner les prises par petits morceaux le matin avant le départ, ce qui évite le respect de la loi des trois heures (et permet de gagner une ou deux heures de sommeil avant le départ).

Erreurs à éviter

Prendre des aliments auxquels vous n'êtes pas habitué ; tenir compte que vous aurez (peut-être) l'estomac « noué » par suite du stress précédant une épreuve.

Boire de façon excessive à ce moment-là, au risque d'uriner plusieurs fois en cours de nuit (sommeil perturbé).

Une précaution

Si vous craignez la constipation, quelques heures avant ce dîner, le matin de préférence, mangez une demi-douzaine de pruneaux ou d'abricots, des fruits très laxatifs. Il est important, en effet, d'arriver sur la ligne de départ avec le moins possible de déchets dans les intestins, mais évitez tout aliment laxatif le matin de l'épreuve (et pendant celle-ci), sinon vous pourriez vous retrouver victime de désordres digestifs en cours de route.

Le matin avant une épreuve

• *Départ en milieu de journée*

Levez-vous un peu plus tard (grasse matinée possible pour une fois !), prenez votre petit-déjeuner habituel (dans la mesure où il respecte les principes énoncés par ailleurs), sauf si l'horaire de départ de l'épreuve vous impose (respect de la loi des trois heures oblige) de prendre le repas principal plus tôt, vers 11 heures du matin par exemple. En ce cas, une boisson chaude et deux ou trois tartines suffiront pour tenir le coup jusqu'à celui-ci. Afin de respecter le délai des trois heures, débutez le repas 3 heures et demie ou 4 heures avant l'épreuve. Choisissez une alimentation traditionnelle (assiette de pâtes, un œuf dur, un yaourt) ou le gâteau diététique que vous aurez vous-même préparé. Cet ultime repas doit être le plus digeste possible, surtout s'il s'agit d'une compétition de courte durée (départ rapide dans la plupart des cas); la remarque vaut aussi pour les cyclotouristes qui ont tout intérêt à se sentir à l'aise dès la montée sur le vélo, plutôt que d'avoir des renvois, voire des nausées… Une alimentation correcte tout au long de la semaine et la veille au soir comptera plus que la simple collation que vous prendrez maintenant. Un impératif : ce minirepas sera hyperglucidique afin de ne pas traîner dans l'estomac, durant l'épreuve de l'après-midi.

- *Départ le matin de bonne heure*

Les « cyclosportives » et les raids cyclotouristes débutent entre 4 heures et 8 heures du matin. Compte tenu des distances à effectuer (jusqu'à 300 km dans la journée), la logique voudrait de se mettre à table pour un véritable festin ! Mais avez-vous l'habitude de vous priver de sommeil afin d'être debout à trois heures du matin et ensuite de vous mettre à table ? La bonne formule consiste en un petit-déjeuner complétant en sucres lent, le dîner de la veille au soir. **Le délai entre ce petit-déjeuner et le départ de l'épreuve est plus important que son contenu lui-même.**

Au petit matin donc, prenez une nouvelle ration de pâtes ou de gâteau diététique. Complétez avec une tasse de café, laquelle aura un effet laxatif presque immédiat et ultra bénéfique afin de vous sentir à l'aise une fois sur le vélo.

Évitez de boire en trop grande quantité durant les 60 minutes précédant le départ, au risque de devoir uriner fréquemment une fois sur le vélo : le trac ajouté à la fraîcheur matinale en aggrave le risque ; buvez normalement la veille et les jours précédents, puis une fois en cours de route (ou de chemin pour le VTT).

Question sucres lents, plus la distance annoncée (donc le temps passé en selle) est longue, plus il faut accumuler des réserves avant le départ. Un vieux randonneur au long cours, adepte des brevets de 400 km et de Paris-Brest-Paris (1 200 km d'une seule traite) résume la situation : « Remplir la chaudière à ras bord avant le départ et ne pas cesser de la remplir une fois en route ! ». Une façon imagée de poser le problème du « carburant » : mais ne vous gavez pas au risque de partir sur le vélo avec des aliments vous remontant dans la gorge…

Dans l'heure précédant le départ

Il a souvent été affirmé que le trac, la peur avant une épreuve (un examen universitaire, l'entrée en scène pour les artistes), se combat par l'absorption à petites doses répétées de sucres rapides avec arrêt une demi-heure avant le début. Aujourd'hui, on en est moins sûr, et beaucoup estiment que cette prise de sucres rapides risque de provoquer une décharge d'insuline, d'où une hypoglycémie réactionnelle : le but inverse de ce qui est recherché ; un moyen d'échapper à cette hypoglycémie, **remplacer le glucose par le fructose.**

Notre opinion, étayée sur 40 ans d'épreuves diverses où notre trac fut extrême (comme lors de l'émission télévisée « Cavalier seul », cinq samedis de suite comme patineur de vitesse à 20 h 30 sur la 1re chaîne française), est qu'il faut minimiser le rôle de la fameuse « ration d'attente ». Si les réserves de sucres lents sont importantes, un thé, un café ou une infusion (la chaleur, dont l'effet révulsif du liquide est plus important que son contenu) suffisent pour tenir le coup ; en cas de petite faim, une ou deux barres énergétiques suffisent également (on peut éprouver une fausse sensation de faim trois heures après un solide repas diététique). L'important est donc de dédramatiser l'événement, et là le problème n'est pas résolu par telle ou telle boisson.

Pour en revenir au vélo, compte tenu des réserves de glucides lents que vous avez mis en stock, plus besoin d'absorber d'autres glucides entre le dernier repas et le moment du départ. Buvez de petites gorgées d'eau pure, voire la boisson chaude évoquée précédemment.

L'absorption de sucres rapides débutera quinze minutes après le départ : afin d'épargner votre réserve en glycogène. Si le départ est en côte, ou si une côte (voire un col) est située peu après le départ, partez lentement afin de vous échauffer progressivement et de n'éprouver aucune gêne gastrique. Même si vous prenez part à une randonnée purement cyclotouristique (aucun classement ni chrono-métrage), la distance est là, le nombre d'heures de selle aussi, avec les intempéries en plus ; pour finir dans les délais, même larges, il ne faut pas traîner en route. La grande différence avec les épreuves cyclosportives, outre l'absence d'esprit compétitif, réside dans les pauses fréquentes des vrais cyclotouristes : lors des ravitaillements (prévus par les organisateurs ou qu'ils organisent eux-mêmes), ils s'arrêtent sans regarder le chrono, outre des pauses afin d'admirer un panorama, un monument historique ou pour attendre les copains. Certains n'hésitent pas à faire halte au restaurant en milieu de jour-née, quitte à en repartir très lentement, pour grimper l'ultime col de la journée. Pourquoi pas !

▶ Épreuves courtes (jusqu'à 3 heures)

Les réserves en glucides accumulées avant le départ sont là, en prin-cipe, pour vous permettre de tenir le coup. Les sucres rapides à absorber périodiquement vous éviteront cependant toute mauvaise surprise après la mi-parcours. Partez avec deux bidons : un contenant une boisson diététique à base de glucides, l'autre avec du thé (au citron et faiblement sucré pour mieux désaltérer), voire de l'eau plate pour vous asperger en cas de chaleur importante, pour faire passer la saveur sucrée de quelques barres énergétiques, pâtes de fruits, tablettes (dextrose ou fructose, ce dernier produit étant sou-vent le plus efficace), voire berlingots jetables que vous absorberez à intervalles périodiques (30 minutes environ). **Essayez ces produits à l'entraînement :** le fructose (sucre de fruits) a une saveur ultra sucrée à laquelle il faut s'accoutumer (par la chaleur certains la sup-portent mal) et un effet laxatif à bonnes doses ; le glucose et le dex-trose passent mieux et plus vite que le saccharose (le sucre ordinai-re), la meilleure formule semblant être celle des maltodextrines qui n'ont aucune saveur sucrée et, de ce fait, passent bien par tous les temps.

▶ Longues distances (plus de 3 heures)

Notre expérience dans le vélo de route (jusqu'à 600 km), le VTT, le marathon, le ski de fond (jusqu'à 76 km dans la Transjurassienne, la plus longue épreuve au monde après la Vasaloppet sur un parcours plus difficile), la marche (100 km), nous montre que, malgré une alimentation correcte, dans les règles de l'art, un entraînement physique insuffisant est cause d'un pénible « coup de mou », voire d'une grosse défaillance, juste après la mi-parcours. À chaque fois il faut ralentir l'allure (en fait elle se ralentit d'elle-même !), effectuer des mouvements respiratoires profonds, et surtout absorber immédiatement des sucres rapides accompagnés d'une boisson tonique (café, thé). Or, l'année suivante, dans le même type d'épreuve, mieux entraîné et avec une alimentation identique, nous avons tenu le coup : surtout, nous n'avons plus ressenti le fameux « mur » annoncé vers les deux tiers de la course ; ce type de mésaventure s'étant répété chaque fois que nous arrivions avec un entraînement kilométrique trop faible, nous connaissons maintenant le remède.

La diététique, aussi parfaite soit-elle, ne résoud donc pas tout : vous ne tiendrez pas sans « coup de mou » une distance de 100 puis 200 et 250 km si vous n'avez pas effectué auparavant des entraînements progressifs.

Sur ces longues épreuves, plus le temps passé sur le vélo (additionné aux arrêts éventuels) est long, plus il faut vous alimenter (de façon liquide au moins). Mais tout dépend de quel genre d'épreuve on parle. En cyclotourisme, sans esprit compétitif, nous venons de voir que beaucoup s'arrêtent, mangent des aliments solides et ne s'en portent pas plus mal. En revanche, si vous recherchez la performance, surtout sur une durée de 6 à 8 heures, il faut manger un peu de solide : ne serait-ce que sous forme de barres énergétiques. Certains diététiciens affirment que, scientifiquement, le liquide est préférable. Peut-être, l'ennui est que, dans la vie courante, nous arrivons difficilement à rester plus de 3 ou 4 heures sans ressentir le besoin d'attraper un aliment solide ; sur une durée plus longue, lors d'un effort sportif, on éprouve donc l'envie de manger du solide, sauf dans certaines situations (chaleur extrême) où plus rien de solide ne veut passer.

Dans ce cas, l'un des bidons pourra contenir un aliment liquide de l'effort plus facile à digérer que des barres ; on peut éviter la saveur sucrée avec des ADEP (Aliment Des Efforts Prolongés, à saveur de potage velouté arôme poule ou champignons au choix). En outre, sur longue distance, à moins de bénéficier de suiveurs en voiture (à éviter sinon le rallye cyclo se transforme en rallye automobile), arrêtez-vous aux ravitaillements prévus par les organisateurs : au moins quelques instants afin de remplir les bidons, les produits diététiques personnels devant être emportés dès le départ, dans les poches du maillot ou un petit sac.

◗ Par grosse chaleur

Beaucoup d'entre vous ont entendu parler de Paul de Vivie, surnommé « Vélocio », le prophète du cyclotourisme (en particulier sur les longues distances) dans la première moitié du XXe siècle. Sa formule était : « Manger avant d'avoir faim, boire avant d'avoir soif ». En effet, quand on ressent la soif, le déficit hydrique est déjà important. Ce problème posé, on ne peut suivre à la lettre certains nutritionnistes qui préconisent de boire avant l'effort physique des quantités de boisson supérieures à ce qu'un système digestif normalement constitué peut supporter sans désordre du genre diarrhées, vomissements, nausées, besoin (trop) fréquent d'uriner. **Partez un peu plus hydraté qu'à la normale, mais sans plus.**

À l'entraînement, accoutumez-vous à boire (et à manger) sur le vélo : il vous faudra aux alentours de un à deux bidons/heure de boisson (eau plate, thé ou eau avec préparation glucosée, ce qui est plus rationnel), un autre bidon étant réservé à un aliment liquide (pour les longues distances, soit plus de 100 km). En VTT, en triathlon, on utilise souvent un réservoir de type sac à dos ou récipient placé sous la selle et que l'on peut boire avec une pipette reliée au guidon : vous pouvez ainsi vous hydrater sans lâcher le guidon (à essayer lors des entraînements bien sûr, afin de mettre au point le système).

Si par temps frais on supporte bien une boisson chaude (souvent c'est très tonique, même si cela peut paraître paradoxal, mais faites-en comme nous l'expérience), il existe des bidons isothermes, valables aussi pour les boissons fraîches.

Quelle est la quantité de glucides à absorber en cours d'effort? Difficile de la quantifier avec précision; en revanche, **on peut doser la proportion de glucides par bidon**. À ne pas le faire, on s'expose à l'absorption d'une quantité excessive de glucides, parfois l'équivalent de 15 à 20 morceaux de sucre par bidon, un tord-boyaux! Par la chaleur, à partir de deux ou trois bidons, on peut ressentir une sensation d'écœurement, voire une envie de vomir, qui ramène lors de l'épreuve suivante à plus de modération.

Les bidons devraient être dosés ainsi :

– chaleur (25 °C et plus) :   25 g./litre de glucides,

– (15 à 25 °C) :   40 g./litre,

– fraîcheur (5 à 15 °C) :   60 g./litre,

– (5° et moins) :   80 g./litre,

– Fructose :   35 g./litre, sinon risque de diarrhée.

En ce domaine aussi, effectuez des essais à l'entraînement comme lors des petites épreuves de début de saison, afin de déterminer de façon assez précise les quantités que vous supportez le mieux selon le type de produit. Un écueil à éviter : certaines poudres glucosées sont très riches en sodium et potassium, une raison de plus de les diluer et d'éviter les prises complémentaires de sodium (par comprimés de sel) et de potassium (comprimés effervescents, sirop, abricots et pruneaux secs). C'est uniquement par temps excessivement chaud, avec transpiration presque constante, même durant le sommeil, que vous pouvez avoir à prendre deux ou trois comprimés de sodium, à moins de saler un peu plus vos plats.

3 - *VITAMINES, MINÉRAUX, RÉÉQUILIBREZ VOTRE ALIMENTATION*

Faut-il prendre des vitamines pour améliorer nos performances? Se révèlent-elles efficaces en ce domaine et sans danger pour notre santé? Est-ce le début du dopage?

En un temps où les magasins à grandes surfaces diffusent à bas prix des préparations polyvitaminiques que la publicité nous présente (l'hiver) à la télévision, considérant que les vitamines « de synthèse » sont vendues sans ordonnance médicale, difficile de ne pas aborder le problème !

D'autant que, suite à la fatigue engendrée par l'entraînement sportif, beaucoup ont d'instinct tendance à rechercher un complément salvateur à leur alimentation traditionnelle, alors qu'un peu de repos (physique), parfois une seule journée, constituerait un meilleur remède.

Ceci dit, l'apport vitaminique et minéral complémentaire n'a rien à voir avec le dopage, pas plus que boire un peu de vin à table (et même un apéritif de temps en temps) avec l'alcoolisme. Bien sûr, nous excluons ici les gens qui s'injectent jusqu'à 1 000 mg de vitamine C dans l'organisme : c'est dopant sans être interdit par les règlements, et il serait intéressant de voir quelques mois ou années plus tard dans quel état de santé sont ceux et celles qui s'adonnent à ce genre de pratique.

Un apport vitaminique normal ne vous procurera pratiquement jamais le « coup de fouet » des produits dopants qui eux, sont dangereux pour notre santé, d'où leur interdiction. À partir de plusieurs entraînements sportifs par semaine, un complément vitaminique et minéral se révèle souvent utile ; mais c'est vrai que lors de séjours à la campagne, à la mer, à la montagne, nous avons toujours eu l'impression de pouvoir nous en passer. Sans doute l'air vicié des villes y est-il pour quelque chose : on se sent « mou » et le stress de la vie professionnelle s'y ajoute.

▶ Les vitamines naturelles sont-elles plus efficaces ?

Les médecins consultés estiment qu'il n'existe aucune base scientifique à l'affirmation selon laquelle les vitamines naturelles seraient plus efficaces que les vitamines de synthèse (artificielles). Cela ne doit pas nous empêcher d'avoir, à la base, l'alimentation la plus naturelle possible. Malheureusement, les aliments actuels ont perdu une grande partie de leurs vitamines et sels minéraux, déperdition accrue par la cuisson en ce qui concerne fruits et légumes. Air, lumière altèrent fruits et légumes en ce domaine. Tabac et alcool détruisent la vitamine C dans l'organisme : n'en concluez point qu'il vous suffit de vous bourrer de vitamine C pour boire et fumer sans danger…

Fruits et légumes crus seront absorbés en quantité importante par les sportifs, mais cela risque de ne point suffire. Et pour les sujets « enveloppés », gare aux régimes amaigrissants à la mode : ils manquent souvent de vitamines, surtout les B1, B6, D et E. Tous et toutes vous varierez chaque jour la teneur de vos repas, mais cela sera-t-il suffisant ?

▶ Ne rien prendre sans l'avis de votre médecin du sport !

Il est indispensable que ce médecin arrive à bien vous connaître et que vous ne preniez rien sans lui en parler au préalable : aucune vitamine n'est totalement inoffensive et souvent il s'agit de médicaments conçus à l'origine pour des personnes malades, non pour des sportifs désireux d'améliorer leur forme physique. Ainsi les traitements remontants ou toniques énervent plus ou moins selon les sujets : en cas de prises répétées, il convient d'observer des moments de relaxation en cours de journée. Il convient aussi de rester sage dans les quantités absorbées, les vitamines palliant une carence mais n'améliorant pas directement la performance (contrairement à ce que croient ceux et celles qui en abusent pour se doper avec des substances non interdites). Prises juste avant une compétition, elles n'ont d'ailleurs pas le temps d'agir. Prises en fin de journée, certaines vitamines (la C par exemple) peuvent vous empêcher de vous endormir rapidement, au même titre que le café ou le thé. Certains cyclistes déclarent prendre de l'aspirine « pour avoir moins mal dans les cannes » (jambes). Or, l'aspirine est un véritable médicament dont les contre-indications et les effets négatifs sont réels (douleurs d'estomac, entre autres).

Il ne faut donc pas absorber n'importe quoi, n'importe quand, en n'importe quelle quantité sous le prétexte que tel copain ou copine en fait autant. Ainsi la vitamine C n'est pas stockée par l'organisme : inutile de se bourrer en absorbant plusieurs comprimés avant une course, les urines rejetant tout excès de C ; d'autre part une vitamine seule n'apporte rien tout en créant un déséquilibre par rapport aux autres. D'où l'utilité des préparations polyvitaminiques, afin d'assurer un certain équilibre. Enfin, chaque cycliste, vététiste ou cyclotouriste est un cas particulier : le régime à suivre sera différent selon la personne considérée.

▶ Les substances autorisées et efficaces

Ce sont celles que vous conseillera votre médecin du sport ou votre généraliste. Il est douteux qu'il vous suggère d'imiter ceux et celles qui se bourrent de café. On ressent parfois le besoin de se remonter avec un café ou un thé chaud : cela ne tue personne, et la caféine n'agissant pas immédiatement, l'euphorie ressentie est due essentiellement à la chaleur du liquide. Certains prennent des comprimés de « vitamine C + caféine » : deux ou trois comprimés de tel produit connu (et pour lequel on a vu des publicités à la télévision !) ; c'est tonique et sans danger, étant l'équivalent de deux tasses de café. Encore que, pour avoir testé le produit à cette dose, nous avons ressenti moins d'effet bénéfique qu'avec une tasse bien chaude.

Mais, selon la formule célèbre, « **C'est la dose qui fait le poison** », ici le dopage. À partir d'une vingtaine de comprimés de « vitamine C + caféine », soit l'équivalent de 1 000 mg de caféine, on est considéré comme dopé lors d'un contrôle. Avec du café en boisson, il faudrait un litre de Robusta ou deux litres d'Arabica pour être dopé. Certaines boissons à base de cola ne sont pas loin non plus de la dose interdite si vous absorbez une ou deux grandes bouteilles, et en plus votre estomac risque de ne pas les supporter en quantité aussi importante (douleurs, diarrhées, vomissements, nausées).

Les vrais dopés à la caféine le sont donc par injection de grosses quantités, pas par prise de tasses sur le zinc du bistrot en face de la ligne de départ de la course. Dire que ceux ou celles-ci ne prennent aucun risque pour leur santé et vont pédaler plus fort n'est pas évident. Beaucoup de personnes souffrent d'extra-systoles, de mini battements cardiaques détectables seulement par un électrocardiogramme.

Ces battements supplémentaires sont d'autant plus nombreux que l'on absorbe plus de café, thé, cacao, menthe. Or ces battements essoufflent les personnes qui y sont sujettes. Comme ce fut un temps notre cas, nous pouvons en témoigner : ces produits « toniques » présentent plus d'effets pervers que bénéfiques ; en réduisant des trois-quarts notre ration quotidienne de café et de thé, nos extra-systoles ont disparu, et nous nous sentons mieux lors des exercices physiques intenses. Désormais nous utilisons un substitut de café à base de chicorée : il en présente la couleur mais pas le goût, et la seule chaleur de cette boisson nous requinque autant que le café pur.

En ce domaine, les conseils de notre cardiologue auront été parmi les plus précieux que nous ayons recueillis depuis longtemps.

▶ Comment éviter les pièges ?

– **Méfiez-vous de l'automédication :** ne prenez rien sans prescription de votre médecin habituel.

– **Procurez-vous la liste officielle des produits dopants**, réactualisée chaque année par le ministère des Sports : elle contient les produits interdits parce que dopants.

– **Consultez attentivement la notice** placée dans l'emballage d'un médicament. En France, on lit (pour certains produits) : « Sportifs, attention, cette spécialité contient un principe actif pouvant induire une réaction positive des tests pratiqués lors des contrôles antidopage ».

– **Si vous prenez part à une compétition** dans un proche avenir, demandez au médecin ou au pharmacien de vous remettre un produit pour le même usage mais sans substance interdite : par exemple pour les rhumes, on peut se guérir sans gouttes contenant de l'éphédrine.

– **En compétition, méfiez-vous** des bidons fournis par des personnes inconnues n'appartenant pas à l'organisation.

– **En cas de méforme,** reposez-vous : parfois un jour ou deux de repos suffisent, au lieu d'additionner fatigue sur fatigue et de vous laisser tenter par quelque « produit miracle ». Si la méforme persiste, un **bilan sanguin** peut révéler une carence en fer ou en magnésium, par exemple. Votre médecin vous remontera peut-être la tension (basse, c'est un signe de fatigue) avec un antiasthénique, produit autorisé mais dont il ne faut pas abuser (généralement pas plus de dix jours). Les vitamines du groupe B peuvent aider à la remise en forme, ainsi qu'une cure d'acides aminés (intéressante en période d'efforts importants) que l'on trouve en magasins de sport.

– **Signalez à votre médecin** que vous prenez part à des compétitions : en France c'est obligatoire (article 10 de la nouvelle loi du 23 mars 1999).

4 - LA RÉCUPÉRATION

Elle concerne les compétitions, les raids de longue distance des cyclotouristes, les entraînements poussés comme ceux « au seuil ». Le cyclisme à ce niveau nécessite des périodes de repos, lequel fait partie intégrante de l'entraînement.

Prévoyez un processus de remise en forme dès la fin de la compétition (ou autre effort très important), en vous méfiant des sensations trompeuses : au bout de trois ou quatre jours après une épreuve, on croit avoir récupéré puisqu'on peut pédaler à nouveau sans mal ; en fait, si on poursuit l'effort, on s'aperçoit qu'on ne peut renouveler un effort soutenu avant une ou deux semaines, voire plus pour les personnes peu (ou mal) entraînées.

▶ La réhydratation

– **Pour faire disparaître l'acidité de l'organisme** après un effort violent et prolongé, buvez un quart de litre (au moins) d'eau minérale bicarbonatée sodique dans les quinze minutes suivant l'arrivée : les bicarbonates aident à neutraliser l'acide lactique produit au cours de l'effort, évitant en grande partie crampes et courbatures, quant au sodium (sel) il est très important afin d'éviter les malaises d'après course (ou autre effort violent).

– **Ajoutez immédiatement une cuillerée à soupe de sirop de gluconate de potassium** (vendu en pharmacie) ; ne dépassez pas cette dose, c'est délicieux au goût mais super laxatif (vous vous en apercevrez une ou deux heures plus tard, mais cela contribuera aussi à la récupération).

– Ayez en permanence à portée de main une bouteille d'eau minérale non gazeuse, buvez à petites gorgées selon votre soif.

– Refusez les sodas et autres boissons souvent acides qui vous sont proposés lors des arrivées d'épreuves et des réceptions qui suivent. En milieu de journée, une boisson chaude et sucrée (même en été) aura un effet tonique bienfaisant.

– À l'eau minérale vous pouvez préférer un **bidon de boisson diététique reconstituante** grâce au glucose : votre réserve de glycogène doit être rapidement renouvelée.

– Dans certains cas vous n'aurez envie d'aucun aliment solide avant deux ou trois heures : c'est notamment le cas par la chaleur ; dans d'autres cas, surtout par temps frais, vous aurez envie de manger tout ce qui est à votre disposition. Fruits secs, barres énergétiques, banane (le fruit le plus riche en potassium), pomme, poire, conviennent parfaitement. Mais souvent on éprouve un ras-le-bol de tout ce qui est sucré : on en a assez absorbé au petit-déjeuner et en cours d'effort ! De petits sandwichs au jambon maigre (comme les « paninis » italiens) peuvent faire l'affaire.

– Deux ou trois heures après la course, de retour au domicile ou en cours de route dans un bar, buvez un quart de litre de lait écrémé, éventuellement avec un peu de poudre chocolatée si vous n'aimez pas le lait pur : le lait est un excellent... contrepoison.

– Pour ne pas être pris au dépourvu, préparez avant l'épreuve l'eau bicarbonatée sodique, le sirop, la boisson diététique glucosée ou l'eau minérale, plus les fruits, pâtes de fruits, barres ou tranches de pain d'épices à absorber au fur et à mesure que revient la faim. Placez le tout dans un sac.

– Les alcools sont, en principe, déconseillés. Mais si vous avez vraiment envie d'un verre de bière ou de fêter une performance avec les copains par un apéritif (pas deux !) ou une coupe de champagne, ce n'est pas interdit par les règlements antidopage de l'U.C.I.

▶ La décontraction

– **Allez rouler** (encore) quelques minutes en douceur, histoire de vous dérouiller les jambes.

– **À défaut, marchez** (avec des sandalettes à forme orthopédique, délassantes, qui vous aéreront les pieds, sans socquettes par temps chaud), étirez-vous (quadriceps, ischio-jambiers, lombaires, au moins), évitez de vous suspendre à un espalier (ou une branche d'arbre).

– **Ne restez pas une minute de plus avec un maillot mouillé** de transpiration, de pluie, voire les deux ensemble. Changez-vous vite, ce qui suppose d'avoir préparé chez soi avant le départ (la veille c'est mieux) tout l'équipement nécessaire : chemise ou polo, survêtement, sous-vêtements, socquettes, chaussures de jogging, casquette l'été. Sauf grosse chaleur, couvrez-vous bien, votre musculature doit être protégée et récupérera mieux ; adoptez un collant pour les membres inférieurs (surtout en montagne).

– **Rentré à domicile**, douchez-vous ou prenez un bain chaud, étendez-vous 20 minutes dans une pièce calme et sombre (à défaut utilisez boules Quiès® et masque noir). Au passage, notez votre poids enregistré sur le pèse-personne (électronique, c'est le seul fiable), en déduisant approximativement le poids de tout ce que vous avez bu et mangé depuis le moment où vous avez arrêté votre effort sur le vélo, poids à comparer avec celui du matin au réveil.

▶ La revitalisation

L'organisme entier en a pris un petit coup : cœur, foie, reins, système nerveux, glandes. Aussi une bonne récupération dépend en fait de l'ensemble de la préparation suivie les semaines précédant la course ; vous récupérerez d'autant plus facilement que vous êtes mieux préparé. Durant les 4 à 5 heures suivant l'arrivée, il n'est pas rare (ni inquiétant) de devoir absorber deux ou trois litres de boisson.

– **Au repas du soir**, privilégiez l'apport en glucides : pâtes, riz, semoule, purée ou préparation diététique. En général on a envie de mets salés. Un potage de légumes est excellent, accompagné d'un ou deux œufs durs, d'un légume vert, d'un yaourt et d'un ou deux fruits.

153

– En principe la viande est déconseillée, à cause de l'acidose qu'elle produit dans un organisme déjà rempli de déchets à éliminer. On conseille donc un dîner ovo-lacto-végétarien. Mais si vous avez envie d'un morceau de viande blanche ou d'une tranche de jambon maigre, ne vous en privez pas. Reste le cas de la viande rouge : comme elle apporte du fer et des protéines et que les besoins en la matière après un effort de longue durée sont importants, certains nutritionnistes estiment qu'elle peut participer valablement à la récupération le dimanche soir malgré l'acidose. Sinon, évitez la viande durant les 24 heures suivant l'arrivée de la course. Une exception : les courses (et raids) par étapes ; mangez de la viande, pour les protéines, malgré le problème de l'acidose, sinon vous resterez longtemps sans cet apport.

– Dès le lendemain, ajoutez une préparation polyvitaminique plus un comprimé de vitamine C (250 mg le matin, autant à midi, la C étant à fractionner dès que l'on en prend des quantités importantes). Votre médecin vous aura peut-être conseillé une recharge en magnésium (comprimés) et en vitamines du groupe B, outre des acides aminés et une cuillerée à soupe de lécithine, des granules que l'on trouve au rayon diététique des magasins d'alimentation (un aliment naturel à base de soja, à teneur garantie en acides gras essentiels et vitamines A et E).

▶ Le repos

– Après la mini sieste évoquée plus haut, dînez tranquillement et couchez-vous de bonne heure. Si le sommeil ne veut pas venir, un sédatif léger peut vous rendre service (comme cela a peut-être été le cas la veille de la course) : le stress de l'ensemble de la journée, l'exaltation du succès ou la déception de l'épreuve ratée vous empêchent parfois de vous endormir ; vous refaites cent fois la course dans votre tête en revivant les bons ou mauvais moments. Quoi de plus normal…

– Le lundi matin et les jours suivants, surveillez votre poids au réveil : vous avez peut-être perdu 2 ou 3 kg mais vous devez retrouver rapidement votre poids de forme, en tenant compte qu'avec toutes les boissons et tous les aliments glucidiques absorbés après l'épreuve vous avez sans doute pris un peu de poids ; mais pas d'inquiétude, ce n'est pas de la graisse et il faut laisser quelques jours à votre corps pour que tout se remette en place normalement.

– **Ne roulez pas ou peu durant les deux jours suivant une épreuve ou un entraînement dur**. Privilégiez la natation en piscine chauffée, accompagnée d'étirements et de massages généraux ; si votre travail vous le permet, observez des pauses avec boissons chaudes (lait surtout).

Chapitre VI

Bobos, accidents :
déjouez les pièges

1 - ROULEZ AVEC VOTRE TÊTE AUTANT QU'AVEC VOS JAMBES

Recommandé par tous (médecins, écologistes…), le vélo est le type même du sport peu traumatisant en lui-même. Seule une pratique déraisonnable, compte tenu de votre niveau de préparation comme de vos aptitudes personnelles, peut se révéler dangereuse, outre les imprudences (ou la malchance) sur la route, dans la rue et sur le chemin. Car les risques existent, sauf qu'il y a plus de danger à périr prématurément par absence de sport que par accident cardiaque à cause du sport, par chute ou collision avec un autre véhicule ou un autre cycliste ou vététiste.

Avant de vous lancer dans le grand bain, il convient de vous procurer le meilleur matériel vous convenant : nous consacrons à ce sujet une part importante de notre autre ouvrage VÉLO PRATIQUE (également aux Éditions Amphora) au choix de votre matériel selon la spécialité choisie (compétition, loisir, sur route, chemin ou tout-terrain). Insistons en priorité sur la hauteur du cadre, les réglages corrects du guidon et de la selle, les bonnes positions en roulant (quelles que soient les circonstances), le choix d'accessoires fort utiles (compteur, bidon isotherme, cardio-fréquencemètre, prolongateur du guidon, etc.). Vous aurez à utiliser intelligemment cette merveilleuse machine qu'est le vélo : à vous servir opportunément des dérailleurs, à rouler en compagnie d'autres cyclistes roue dans roue voire, côte à côte, à compléter la pratique du vélo par d'autres exercices afin de ne pas faire travailler que les jambes (étirements, musculation des abdominaux et lombaires, natation...), à doser convenablement vos efforts pour éviter le surentraînement.

2 - ÉVITER LES ACCIDENTS, OUI MAIS COMMENT ?

Les causes

– **Obstacles sur le sol** (rail, bandes blanches glissantes, trous, grilles d'égout dans le sens de la marche, gravillons, goudron fondu, branches tombées des arbres, feuilles mortes humides...).

– **Intempéries** (d'où la nécessité de s'informer sur la météo de la région et de prévoir en conséquence matériel, vêtements, alimentation, horaires).

– **Absence de visibilité, traversée de tunnel** (en montagne notamment).

– **Crevaison, déjantage, éclatement de pneumatique.**

– **Rupture de chaîne, voire de manivelle.**

– **Bris de fourche ou de base arrière du cadre.**

– **Imprudences dans la conduite :** mauvaise trajectoire en virage, freinage intempestif, non respect de priorité à un autre véhicule, etc.

– **Choc avec un tiers.**

– **Accélération brutale** entraînant une chute.

– **Mauvais équilibre en vélo.**

– **Insuffisance d'entraînement physique.**

– **Surentraînement**, donc fatigue importante et manque d'attention.

– **Malaise subit**, tel que l'hypoglycémie (mauvaise alimentation avant et pendant l'effort sportif).

En compétition comme en loisir, la moitié des accidents paraissent dus à des chutes, un tiers par collision vélo contre auto, le reste vélo contre vélo.

Autre cause d'accident, encore plus stupide : après le passage des participants à une épreuve de masse sur route comme en VTT, **on ramasse de tout sur le sol**, depuis les pompes, bidons, compteurs, casques, gants, casquettes, jusqu'aux chambres à air et boyaux de rechange, lunettes, porte-monnaie (garnis !), dossards, coupe-vent, imperméables... « On pourrait faire son marché, c'est impressionnant, sauf que ces objets peuvent causer des accidents et l'on doit faire des écarts en roulant pour éviter ces obstacles », explique une participante aux épreuves cyclosportives de masse. Un autre cyclo ajoute : « À cause d'un bidon au sol, une fois j'ai vu douze types au tapis ». Mieux (ou pire), le responsable d'une épreuve nous a affirmé avoir ramassé un dentier sur le bitume.

Les effets

La moitié des lésions observées le sont aux membres inférieurs, les autres concernent coudes, épaules, tête, visage. Buste, abdomen, cou, colonne vertébrale sont plus rarement touchés. Plus élevée est la vitesse, plus grand est le risque d'une chute où un cycliste glisse sur le sol : d'où une abrasion de la peau du genou, de la hanche, du coude, de l'épaule ; l'impact est douloureux, la chute spectaculaire mais pas toujours suivie de conséquences graves, sauf si un obstacle vient arrêter la glissade.

Prévention

• *Santé*

Beaucoup viennent au vélo après une longue période d'inaction : se réentraîner très progressivement, en endurance, avec de petits braquets sur de courtes distances et des itinéraires peu accidentés constitue le bon choix.

Pour tous et toutes, **privilégiez la qualité sur la quantité :** moins de « bornes », moins d'heures de selle, mais un pédalage dans les règles de l'art à un rythme soutenu proche (sur le plat) du « tempo » idéal retenu par les physiologistes pour aller vite et loin avec moins d'effort, à savoir 100 tours/minute. Roulez également avec plaisir, accompagnez la pratique du vélo de route ou du VTT par des étirements, un renforcement musculaire intelligent (abdos, lombaires), des sports de complément en hiver (ski de fond ou de randonnée, marche en raquettes, jogging), une bonne hygiène de vie. En cas de douleurs, de fatigue, de surmenage, de blessure, ne vous entêtez point à suivre à la lettre le programme d'entraînement que vous vous êtes construit et qui ne pouvait évidemment pas tenir compte de ces fâcheux contretemps : l'expérience pratique montre qu'il est rare de pouvoir suivre un tel programme sur l'ensemble de la saison, compte tenu des impondérables (à prévoir d'une certaine façon dans le programme avec des épreuves de rechange). Donc, réadaptez à chaque fois ce programme aux faits imprévus survenus en cours de saison.

• *Casque*

Lors de l'achat, ne vous laissez pas influencer par de chatoyantes couleurs : un joli casque n'est pas forcément un bon casque. Le casque est indispensable, y compris pour la circulation utilitaire (se rendre en vélo à son travail ou au marché). Un bon casque vaut essentiellement par la sécurité qu'il garantit, outre son **confort,** son **aération,** sa **légèreté,** son **maintien.** À l'achat, essayez-le avec attention en l'ajustant de façon précise : il ne doit basculer ni vers l'avant ni vers l'arrière, sous peine de ne pas servir à grand-chose ; en outre, il ne doit pas comprimer la tempe. Après une chute ou un choc, il est préférable de changer de casque. Dans tous les cas, ne lui apposez pas d'autocollants (pour faire joli), ne le lavez pas avec un savon fort, ne le peignez pas, ne le perforez pas.

• *Matériel*

– **Roulez avec un cadre adapté** à votre morphologie.

– **Réglez correctement** selle, guidon, pédales automatiques ou cale-pieds.

– **Vérifiez avant le départ** (la veille de préférence afin de ne pas être pris de court) l'état général du vélo (câbles et patins de freins, usure des pneumatiques et de la chaîne, tension des rayons, serrage des divers écrous et boulons, serrage de la tige de selle en deçà de la marque de sécurité, jeu de direction sans point dur, etc.).

– **Gonflez** pneus ou boyaux à la pression requise par le fabricant : manomètre souvent indispensable.

– **Jamais d'huile ou de graisse** au contact des pneus ou boyaux comme des jantes (freinage impossible ou trop faible).

– **En compétition,** n'utilisez que des chambres à air n'ayant jamais crevé.

– **Portez** des vêtements clairs et réfléchissants la nuit et par mauvaise visibilité (pluie, brume) : il faut voir et être vu.

– **La nuit,** adoptez un éclairage à piles : des boîtiers se montent facilement sur le cintre du guidon et sur les haubans pour l'arrière.

– **Bidons :** placez-les dans des porte-bidons de sécurité afin qu'ils ne s'envolent pas au moindre choc, surtout en VTT.

– **Votre position** peut changer malgré vous en cours de saison : votre selle se creuse avec l'usure ; la surveiller, la changer si nécessaire pour une neuve.

– **Choix des chaussures :** le confort du pied conditionne l'efficacité du pédalage. Le pied doit être tenu tout en laissant un (léger) espace entre la pointe des deux gros orteils et le bout de la chaussure. Achetez vos chaussures en fin d'après-midi : le pied est légèrement gonflé en comparaison du matin. Effectuez l'essai avec des chaussettes spécialement conçues pour le cyclisme, pas avec des « tennis » vendues au kilo dans les grandes surfaces et qui ne sont pas prévues pour cela. Le pied doit être tenu, ne pas naviguer à l'intérieur de la chaussure : l'avantage des bandes Velcro en comparaison du laçage est de pouvoir desserrer facilement sans descendre de vélo, car le pied risque de gonfler au fil des heures de pédalage. Le choix des cyclotouristes ira vers des chaussures autorisant la marche à pied (cale intégrée à la semelle).

• *Conduite*

– **Respectez** le code de la route, même si celui-ci n'est pas toujours conçu pour les cyclistes.

– **Évitez** les itinéraires trop dangereux, dénichez des itinéraires « bis », parallèles, même s'ils sont un peu plus longs.

– **Ne roulez pas** aux heures de pointe.

– **Ne sortez en vélo la nuit** que pour une impérieuse nécessité (et avec éclairage avant-arrière).

– **Freinez avant** de vous engager dans un virage, pas une fois dedans, et freinez d'abord avec le frein arrière, si possible progressivement.

– **Levez-vous** de la selle au passage des trous et autres obstacles tels que branches, rails, passages piétons relevés, etc.

– **Ne vous crispez jamais** au niveau des bras, des coudes.

– **Ne jouez pas au coureur,** même sur une piste cyclable : ce n'est pas une piste de vélodrome mais une facilité de circulation ; et lorsque vous en sortez pour vous retrouver brusquement au milieu de la circulation générale, réveillez-vous !

3 - DOULEURS MUSCULAIRES, ARTICULAIRES, TENDINEUSES :

Causes générales

– **Rouler jambes nues par temps frais,** sans jambières, sans collant long ou pommade chauffante.

– **Démarrage trop rapide**, sans échauffement préalable.

– **Braquets trop gros**, surtout lors des premiers kilomètres et lors d'efforts très prolongés (100 km et plus dans une même journée) ou de terrain difficile en VTT. Il vaut mieux solliciter le souffle plus que les jambes.

– **Membre inférieur plus court que l'autre** : une pédale plus haute ou une cale placée d'un seul côté peuvent y remédier (reportez-vous à la fin du paragraphe 8).

– **Mauvaise fixation de la cale** sous la chaussure causant, en particulier, des douleurs au tendon d'Achille. La cale a pu être reculée afin de faire avancer le pied « pour plus d'efficacité en pédalant », aux dires de certains. Rappelons que la position de base est la cale juste au-dessus de l'axe de pédale, avec l'articulation du gros orteil par-dessus.

– **Surentraînement :** les muscles n'ont pas récupéré de leurs précédents efforts, ils deviennent plus fragiles.

– **Fatigue générale** par excès d'entraînement en résistance ou en endurance.

– **Manque de sommeil.**

– **Mauvais équilibre** entre le développement des muscles antérieurs de la cuisse (quadriceps) et les ischio-jambiers (postérieurs) ; un travail en salle de culture physique sous la conduite d'un professeur ou du jogging développent ces derniers (sauf en descente où ce sont les quadriceps qui travaillent le plus en courant à pied).

– **Insuffisance musculaire :** douleurs ou seulement fatigue trop rapide des épaules et des lombaires. La cause est un mauvais réglage du guidon ou de la selle, voire des deux. Distinguez bien la douleur type « coup de poignard » provenant d'un traumatisme important, de celle lancinante provenant d'une fatigue passagère. En ce cas, un renforcement de la musculature y remédiera : **tel est le cas pour les trapèzes**, les muscles de part et d'autre du cou, sur les épaules. Cela survient en particulier lors des longues distances. Remède : avec une barre métallique de 10 à 20 kg, exercices de renforcement des trapèzes en salle de culture physique. Une potence trop longue ou trop basse, une selle trop en arrière peuvent en être aussi les causes.

De tels exercices effectués en hiver nous ont évité de nombreux kilomètres inutiles pour revenir en forme sur les longues distances ou seulement sur des épreuves courtes et rapides où la position, mains en bas du guidon, le dos très couché, sollicite beaucoup les trapèzes.

– **Un coup de froid au bas du dos :** vêtements ne protégeant pas suffisamment les lombaires, surtout quand on est courbé en avant (les vêtements ont tendance à remonter).

– **Des douleurs lombaires :** consultez immédiatement le médecin et le kiné.

• *Crispations*

Il faut les éviter (douleurs, dépense inutile d'énergie).

– **Ne roulez pas les bras tendus** mais légèrement pliés : tenir fermement le guidon et s'y agripper, ce n'est pas pareil ! Changez fréquemment de position si vous en ressentez le besoin : avec le guidon dit « à trois positions » plus d'éventuels prolongateurs, ce n'est pas le choix qui vous manque ; à intervalles plus ou moins réguliers, alternez la position assise avec la position en danseuse.

– **Ne contractez pas** non plus vos mâchoires, ne plissez pas le front, de temps en temps haussez la tête.

– **Prévention :** étirez les membres supérieurs avant le départ,

   – utilisez des gants bien rembourrés au niveau de la paume de la main,

   – alternez la pratique du vélo avec celle d'autres sports (natation, jogging, roller, volley, par exemple, mais pas la veille d'une compétition ou d'un raid).

• *Courbatures*

Une situation classique le lundi matin, sous le regard amusé des collègues de travail (moins sportifs) qui ironisent sur les « bienfaits » du vélo en vous voyant marcher avec difficulté… Heureusement, à force d'entraînement, les courbatures vont diminuer, voire disparaître ; en revanche, la fatigue générale due à l'effort sportif disparaît moins vite. Un bon test est la descente d'escalier en partant de chez vous : ce test du lundi matin vous en dira long ! Étirements, massages, douches et bains chauds, natation (25 à 30 minutes le lundi), une hydratation correcte contribueront à leur disparition. En cas de grosses courbatures, arrêtez le vélo deux ou trois jours, allez nager et dormez les jambes surélevées grâce à une couverture pliée en plusieurs épaisseurs et placée sous les genoux.

• *Crampes*

Causes :

– **Contraction** involontaire d'un muscle, surtout au mollet.

– **De nuit**, une crampe peut vous réveiller brusquement : la cause est vasculaire.

– **Efforts physiques** produisant trop de déchets acides et de toxines avec une mauvaise élimination de ces déchets.

– **Une transpiration** très importante, empirée par un apport insuffisant en boisson, en sodium, en potassium, aggrave les risques de crampe : en été, par forte chaleur, salez les plats, mangez plus de fruits contenant du potassium (bananes, abricots).

– **Par temps frai**s, la cause des crampes est une mauvaise protection des membres inférieurs : un collant thermique est à prévoir, ainsi qu'après l'arrivée en été au sommet d'un col.

– **Un matériel inadapté** cause des crampes : manivelles trop longues (contentez-vous des 170 mm, d'autant qu'elles vous permettront de tourner les jambes plus vite avec moins d'effort), mauvais réglages (selle, guidon), cadre de mauvaise dimension, départ sur le gros braquet, utilisation prolongée du « tout à droite » (petit pignon de la roue libre).

– **Certains excès alimentaires**, telle la prise répétée de café et de vitamine C : on nous cite le cas de coureurs se dopant par injection de 1 000 mg de vitamine C ; ce n'est pas interdit par les règlements (pas encore), mais bonjour les dégâts sur l'organisme !

Remèdes :

– **Couvrez-vous**, buvez en abondance.

– **Ralentissez,** voire arrêtez de pédaler, inspirez et expirez fortement, repartez lentement sur un braquet plus petit. Si nécessaire, sortez le pied de la pédale afin d'effectuer des mouvements de jambe à l'extérieur du vélo.

– **En cas de persistance de la crampe**, arrêt complet, asseyez-vous sur l'herbe, massez la partie contractée de bas en haut ou faites-le faire par un compagnon ou le service médical de l'épreuve : tendez le mollet en tirant la pointe du pied en direction du genou, appliquez une pommade décontractante.

– **Le soir**, application d'un cataplasme d'alumine, absorption possible de comprimés de vitamines B1-B6-B12 sur prescription médicale.

– **Chaque jour**, au domicile, exercices d'assouplissement du mollet (et du pied) avec une petite balle (tennis ou plus petite en mousse) : faites-la rouler sous le pied nu ; cet automassage est excellent pour le pied, la cheville, le mollet ; et n'oubliez pas douches et bains chauds, étirements, le moins possible de station debout immobile.

• *Contractures*

Le stade aigu de la courbature : douleur musculaire plus forte, de plus longue durée (plusieurs jours malgré repos et massages), muscle dur, gêne importante lors des mouvements. Vous risquez de tout aggraver avec élongation, voire claquage, la contracture étant le premier stade de l'accident musculaire. Alors repos, étirements…

• *Genoux*

La plupart du temps les causes sont mécaniques. Avec le système traditionnel du cale-pied, le bord de la cage de pédale finit par s'user : le pédalage s'effectue pied légèrement tordu, causant une douleur intolérable dans le genou.

Les pédales automatiques n'ont pas supprimé toutes les douleurs aux genoux : l'axe de la pédale peut être faussé (on pédale là aussi de travers), la cale a pu être mal fixée (alors que l'articulation du pied doit se trouver au-dessus de l'axe de pédale). Et ne parlons pas du cadre trop petit (cela nous est arrivé avec un vélo de location, le seul qui restait à notre disposition : les douleurs furent vite intolérables), de l'abus des squats en musculation (flexions de jambes avec une charge trop lourde sur les épaules).

Une cause moins connue de douleurs aux genoux est le pédalage dans le vide : à déconseiller, le genou ayant besoin d'une résistance minimum pour fonctionner correctement, faute de quoi les articulations « flottent », risquant de provoquer pincements, voire blocages. Ce type d'accident peut survenir en vélo (pédalage persistant en descente, braquets minuscules du type 28/28 ou 28/30, pas rares chez certains cyclotouristes de la vieille école), en natation (battements de jambes mal exécutés), en culture physique (mouvements de pédalage pour muscler les abdominaux).

• *Feu aux pieds*

La plante du pied qui vous brûle, quoi de plus désagréable pour vous gâcher une journée de vélo ! La cause majeure semble être une mauvaise circulation sanguine dans le pied par suite d'un serrage excessif, accentué par la chaleur qui fait gonfler le pied.

Remèdes :

– Chaussettes spéciales vélo (pas de nylon).

– Chaussures bien adaptées aux pieds (plutôt grandes lors de l'achat).

– Si nécessaire, consultation d'un podologue pour confection de semelles correctrices à enfiler dans la chaussure cycliste (on peut avoir de mauvais appuis, comme les coureurs à pied).

– Se frotter les pieds au départ avec une pommade antiéchauffement, apposer un morceau d'élastoplaste sous la voûte.

– S'arroser les pieds avec de l'eau tout en roulant, s'arrêter et marcher pieds nus quelques instants sur de l'herbe.

• *Arthrose*

Elle concerne les membres inférieurs et le rachis, une affection qui n'empêche pas la pratique du vélo comme loisir, mais en souplesse avec de petits braquets. Un réglage correct de la hauteur de selle, un cadre dont le tube supérieur est suffisamment long, sont indispensables. Évitez les pentes trop accentuées et le pédalage debout sur les pédales.

• *Varices*

Ne confondez pas veines apparentes et varices. Ces dernières nécessitent une consultation du médecin, peut-être une opération avec reprise du vélo au bout d'un mois minimum de convalescence. Prévention : pas de longues stations debout (bus, métro), pas de chaleur excessive sur les jambes (bain, douche, chauffage), sommeil avec jambes surélevées, pas de poids excessif (par sucres, sel, graisses), massage des veines de bas en haut avec une crème spécifique, pour les femmes pas de talons hauts (mauvaise circulation sanguine dans les mollets).

• *Mains*

Évitez les contractions inutiles des doigts, les crispations, même chose avec les bras, changez fréquemment de position sur le guidon (pas toutes les 10 secondes tout de même). On peut avoir un fourmillement des doigts par compression du bord externe de la main ou hyperextension du poignet avec les mains en haut du cintre.

• *Syndrome caniculaire du poignet*

Il concerne les nerfs de la face antérieure du poignet avec pour cause une succession de microtraumatismes suite à des parcours sur sols rugueux, à de longues sorties en endurance, à une mauvaise position des mains sur le guidon (crispations, porte-à-faux), à un travail professionnel déjà pénible pour les mains. On ressent des picotements, de l'engourdissement, des fourmillements, une sensation de brûlure. Le traitement inclut l'arrêt de l'utilisation du vélo, des soins par kiné (physiothérapie), des infiltrations, voire de l'acupuncture.

4 - PLAIES, CONTUSIONS, FRACTURES : CONDUITE À TENIR

• *Plaies*

– **Les écorchures,** coupures, éraflures ne nécessitent pas, en principe, l'intervention d'un médecin ; un antiseptique, un pansement découpé suffisent.

– **Pour une plaie plus grave**, nettoyage à l'eau savonneuse (savon de Marseille conseillé) ou avec une solution nettoyante : débutez par le centre de la plaie pour aller vers la périphérie ; passez ensuite une solution antiseptique. Les souillures importantes sont à enlever avec une compresse propre baignée d'antiseptique. Un peu d'eau oxygénée arrête le saignement. Après passage de la solution antiseptique, l'air séchera le dessus de la plaie juste avant d'y mettre un pansement (compresse + sparadrap).

– **Ne pas utiliser** l'alcool à 90 °, trop douloureux et mauvais antiseptique. Prendre de la Bétadine® ou de la Biseptine®.

– **La compresse** est préférable au coton pour nettoyer, ce dernier pouvant rester accroché à la plaie.

– **Vérifier la date** de la dernière vaccination antitétanique (rappel tous les cinq ans).

– **Ampoules :** en vélo ce sont les mains qui posent problème, les prévenir en évitant les callosités de la face intérieure de la main au début des doigts (les enlever avec un coupe-ongles propre et finir avec une pierre ponce).

Rasage des jambes : il prévient en partie les risques d'infection après une chute et un choc violents, et facilite le traitement des blessures. Les abrasions de la peau peuvent être plus ou moins profondes et le médecin, les premiers soins donnés, prescrira en cas de lésion superficielle, un traitement par pommade désinfectante et cicatrisante. Pour une lésion profonde, l'hospitalisation s'impose. Si l'abrasion est accompagnée d'un hématome, appliquez de la glace.

Hémorragie : traitement sur le lieu de l'accident soit par compression directe (légère hémorragie), compression à distance (saignement plus important), garrot (plaie artérielle ou veineuse : sang foncé avec écoulement régulier) par une contention très large (pas une ficelle mais une surface d'au moins 10 cm de large).

• *Contusions*

Elles sont consécutives à un choc.

– **Pas de plaie** mais une douleur diffuse aggravée si on palpe la zone touchée. Un hématome risque de se former.

– **Appliquer du froid** (glace ou atomiseur sous pression). Pas de chaleur comme on le fait pour une crampe. Bandage élastique assez serré qui limitera le saignement interne. Pas de massage ni de pommade révulsive.

– **Si la douleur est très violente,** absorption d'un calmant type paracétamol.

• *Fractures*

Les plus courantes en vélo sont celles de la **clavicule** : par chute sur le côté ou vers l'avant suite à l'arrêt brusque du vélo, le cycliste passant par-dessus sa machine. Autre écueil : le choc avec un cycliste tombé juste devant. La pédale automatique, comme la fixation de sécurité en ski dont elle est dérivée, permet au pied de se désolidariser instantanément du vélo en cas de chute, limitant les risques d'accidents graves. La guérison survient au bout d'un mois, la possibilité existant (pour les pros) de reprendre l'entraînement sur vélo statique au bout d'une semaine, sauf en cas de fractures multiples où la guérison requiert six semaines.

Autres fractures : poignet, fémur (l'hiver sur le verglas ou en toutes saisons sur sol mouillé, boueux), plus rarement colonne vertébrale (ne pas relever ni bouger une personne se plaignant de douleurs vertébrales au niveau des reins, du dos ou de la nuque, surtout ne pas lui bouger la tête, attendre l'arrivée des secouristes en mentionnant le fait).

Transporter la personne blessée seulement après immobilisation de l'os fracturé grâce à des attelles, écharpes ou gouttières. Si une personne blessée est étendue à terre, la couvrir pour lui éviter de prendre froid, ne pas nettoyer la plaie en cas de fracture ouverte, faire un pansement stérile ou laisser la plaie en l'état.

• *Tendinite*

Dès son apparition, arrêter la pratique du vélo, se reposer, effectuer en douceur des étirements (si possible par kiné). Le médecin peut prescrire la prise d'anti-inflammatoires et de la mésothérapie (plusieurs mini-injections successives d'anti-inflammatoires sur la partie douloureuse). Autres moyens de guérir : ultrasons, massages transversaux profonds (MTP), application de glace, natation.

Prévention : pas de manivelles trop longues (170 mm suffisent), semelle compensatrice à l'intérieur de la chaussure, pas de produits dopants (anabolisants par exemple) ; bien s'échauffer avant un effort violent, pas de surmenage par abus de kilomètres et de fractionné. Au niveau de l'alimentation, buvez suffisamment (cela permet de mieux éliminer les déchets), soignez une dent infectée (dentiste trois à quatre fois par an), après l'effort buvez une eau bicarbonatée sodique et un bol de lait.

- *Trousse de première urgence*

En avoir une au domicile, dans la voiture accompagnatrice, au siège du club et même dans son sac de sport, n'est pas un investissement inutile. Un club serait bien inspiré également de compter dans ses rangs un secouriste breveté. Cette trousse s'achète en pharmacie ou en grandes surfaces ; elle permet au moins de désinfecter la peau et de fabriquer un pansement, mais ce ne sont que de premiers soins pour quelques égratignures. Dans tous les autres cas, il est bon de se rendre chez le médecin ou au service d'urgence de l'hôpital le plus proche. N'oubliez pas d'adjoindre à cette trousse des comprimés de paracétamol, un anticrampes, une pommade antifrottements à étaler sur la peau du cuissard, une lotion solaire, un baume relaxant pour les courbatures.

5 - RHUMES ET POINTS DE CÔTÉ : MIEUX RESPIRER

- *Rhumes*

Le froid, surtout s'il s'accompagne d'humidité, le brouillard, les changements de température un peu brusques, sont cause d'angines, de grippes de rhumes. De toute façon, tout au long de l'année, cyclistes et vététistes se trouvent soumis à un véritable bol d'air, se sentant vite « soûlés » en période de grand vent (surtout frais et de face) ; si vous ajoutez ces conditions à un rythme respiratoire rapide en cas d'effort violent et prolongé, rien d'étonnant à ce que les voies respiratoires supérieures s'en trouvent fortement irritées, avec en premier lieu une toux qui se prolonge un bon moment après une sortie de vélo ou une épreuve.

Une boisson chaude suffit généralement à faire passer cette toux. En cas de rhume de cerveau (fréquent au passage d'une saison à l'autre et des courants d'air que cela occasionne), le médecin vous prescrira peut-être une prise supplémentaire de vitamine C. Mieux valant prévenir que guérir, c'est dès les premiers symptômes (mal de gorge, toux sèche rebelle, donc avant que le nez commence à couler) qu'il faut absorber de la vitamine C, outre un ou deux comprimés de Paracétamol avec nettoyage de la paroi nasale grâce à du sérum physiologique. En cas d'aggravation, un médicament suffit le plus souvent à faire passer le mal en quelques jours. Attention ! Le rhume de cerveau affaiblit sensiblement l'organisme, met à plat, et sa guérison doit s'effectuer sur prescription médicale afin d'éviter toute prise de médicaments pouvant contenir des substances dopantes.

En cas de saignement de nez, introduisez un morceau de coton hydrophile imbibé d'eau froide dans la fosse nasale en comprimant celle-ci avec le pouce ; ne pas s'allonger, demeurer assis ou debout.

• *Grippes, angines*

Arrêt total du sport. Après guérison, pas de vélo durant une semaine, mais reprise de l'activité physique progressivement (culture physique, étirements, vélo d'appartement, marche). Reprise du vélo (endurance seulement) avec au début de courtes sorties (60 à 90 minutes). Contrairement à ce qui se raconte parfois dans les milieux sportifs, **les antibiotiques n'affaiblissent pas :** c'est la maladie dont vous souffrez qui est responsable de la fatigue.

• *Points de côté*

À gauche c'est une contraction de la rate, à droite une crampe diaphragmatique, une congestion du foie ou une poche de gaz dans l'angle droit du colon. Le point apparaît seulement lors d'un effort sportif, plus souvent à droite qu'à gauche. Parmi les causes : un guidon étroit, rouler les coudes trop près du corps, l'abus de boissons gazeuses (une poche de gaz se constitue, comme mentionné plus haut), une sangle abdominale faible, des aliments indigestes (surtout ceux causant des gaz comme les haricots en grains).

À proscrire encore : rouler en vélo avec une culotte ou un pantalon tenus par une ceinture : celle-ci comprime l'estomac.

• *Bandelettes nasales : sont-elles utiles ?*

Oui, mais… Le ruban adhésif au-dessus du nez semble avoir une certaine utilité pour les personnes souffrant d'une déviation de la cloison nasale, pour éviter de ronfler en dormant, et pour les compétitions sur courtes distances dans la mesure où elles améliorent la ventilation (ce que contestent certains). Le mieux est d'essayer afin de se rendre compte par soi-même.

6 - *SELLE : MIEUX VAUT PRÉVENIR QUE GUÉRIR*

• *Prévention et remèdes des furoncles*

Le périnée, la partie du corps reposant sur la selle, est souvent mis à mal avec les heures de selle. Il faut donc se mettre au vélo très progressivement, que l'on débute ou que l'on reprenne en début de saison. On soulagera la partie concernée en alternant position en danseuse et position assise sur la selle.

Autres causes :
– gonflage trop élevé des pneus ou des boyaux,
– parcours sur sols trop rugueux,
– selle trop dure, du moins si on débute dans le vélo,
– peau de chamois usée ; une seconde peau à l'intérieur du cuissard diminue les douleurs, le graissage de cette peau aussi (vaseline, pommade spéciale),
– mauvaise hygiène de la peau.

Guérison :

– bains de siège au permanganate, passer un antiseptique, pas de spa-radrap mais un pansement aéré en cas de petit furoncle ; si celui-ci persiste, traitement médical,

– port éventuel d'une housse recouvrant la selle : en mousse ou en élastogel de silicone,

– arrêt de l'entraînement quelques jours.

7 - FROID, CHALEUR, MOI CONNAIS PAS !

• *Froid, comment le combattre ?*

– **Évitez les sorties en vélo non indispensables** l'hiver et par très mauvais temps : remplacez le vélo par de la natation, du jogging, de la marche rapide ou du vélo d'appartement.

– **Constituez-vous une panoplie de vêtements**, gants, chaussures, lunettes, adaptée à la « mauvaise saison » et aux jours de mauvais temps, les pires étant ceux de pluie froide. Habillez-vous chez un vélociste ou magasin de sport disposant d'un large choix de vête-ments. L'idéal est d'avoir une tenue intermédiaire pour les journées moyennement froides : mais la résistance au froid dépend selon d'in-dividus, les plus maigres se révélant les plus vulnérables par suite de leur absence de graisse protectrice sous la peau.

– **À ne pas faire :** trop serrer les vêtements et chaussures (amples, ils évitent la transpiration et n'arrêtent pas la circulation sanguine) ; avoir le bas du dos mal protégé ; porter un col roulé (il ne permet pas d'aérer le cou à la moindre bouffée de chaleur) ; les gants de ski (trop épais, ils ne permettent pas d'empoigner correctement le guidon) ; les oreilles non couvertes (très important) ; des chaussures trop justes (utiliser des modèles fourrés avec une demi-pointure de plus) ; oublier d'emporter sur le vélo un bidon isotherme (avec du thé chaud).

– **Danger maximum :** les temps de brouillard, de brume, de pluie bat-tante, et surtout le verglas, cause de fractures du fémur.

– **Désagréable :** l'onglée, l'ankylose de la pointe du pied insuffisamment protégée du froid. Descendez de vélo, marchez, trottinez si vos chaussures vous le permettent. Au retour à la maison, attendez une vingtaine de minutes avant de prendre la douche et surtout pas de bain de pied chaud dès que vous quittez les chaussures : laissez la circulation sanguine reprendre en vous massant les pieds. On ressent parfois un léger malaise : une boisson chaude vous aidera à passer ce cap difficile. On évite tous ces maux par des couvre-chaussures ou une paire de chaussettes sacrifiée pour recouvrir la chaussure. Utile encore : un masque antifroid sur le visage ou un passe-montagne.

– **Pluie + froid :** se frictionner les jambes avant le départ avec du Lao Dal® (ou produit chauffant équivalent) suivi d'une couche d'huile camphrée.

– **Grippe :** vous faire vacciner, éviter les lieux publics.

Chaleur : ses effets

• *Coup de soleil*

L'effet le plus banal d'une exposition prolongée. Les crèmes protectrices sont indispensables avec renouvellement de l'application toutes les deux heures environ. Elles auront également un effet calmant au retour chez soi si on ne dispose pas d'une pommade calmante spécifique. Ne crevez pas les cloques : elles le font d'elles-mêmes le moment venu. Une fois bronzé, vous n'êtes pas protégé pour autant : la crème protectrice est encore utile. Remède de bon sens : ne rouler en vélo sous le soleil que si on ne peut faire autrement.

• *Coup de chaleur*

Une forme aggravée de l'insolation (décès possible) avec pouls anormalement rapide et perte de conscience nécessitant compresses froides voire glace sur le front, absorption de café ou thé chauds très sucrés avec respiration artificielle en cas de syncope.

- *Insolation*

Exposition excessive au soleil d'une personne non (encore) entraînée, cas fréquent lors des premières chaleurs, celles qui causent le
plus de dégâts dans les pelotons. Éblouissements, bourdonnements
d'oreilles, vertiges, nausées, sensations internes de chaleur, congestion du visage, température élevée du corps en sont les symptômes.

- *Soif intense*

L'effet le plus immédiat et le plus normal : ne partez pas sans deux
voire trois bidons ou un sac à dos/réservoir ; hydratez-vous avant le
départ en puisant ailleurs que dans vos réserves.

- *Que faire ?*

   – **Évitez de sortir** en vélo aux heures de forte chaleur : partez de
bonne heure le matin ou en fin d'après-midi.

   – **Méfiez-vous** de la température humide après une chute de pluie, à
la différence de la température sèche habituelle, avec l'humidité
ambiante la transpiration ne s'évapore pas, elle ruisselle sur tout le
corps, on respire mal.

   – **Essuyez** la peau avec un mouchoir mouillé ou une éponge pour en
ôter le sel qui nuit à l'évaporation de la sueur.

   – **Aspergez-vous** d'eau dès le départ ; d'où l'utilité du 3e bidon (fixé
sous la selle s'il le faut) ; en cours d'effort, arrosez-vous le crâne,
aspergez-vous le visage. Et méfiez-vous du spectateur zélé qui croit
bien faire en vous lançant de l'eau glacée, puisée dans le torrent
proche de la route ou du chemin, cela nous est arrivé et c'est très
désagréable !

   – **Portez** des vêtements légers, surtout en VTT (moindre vitesse que
sur un vélo de route, d'où nécessité de maillots à mailles plus larges),
de couleurs claires (le blanc est l'idéal). Ce qui n'empêche pas un
coupe-vent pour les départs et retours à la fraîche. Les vêtements
cyclistes, et d'abord le maillot, doivent être un bon compromis, car
les cyclistes affrontent tour à tour la chaleur (sudation) dans la montée, la fraîcheur (voire le froid) dans la descente, des conditions miti-

gées sur le plat (parfois avec vent de face ou de trois-quarts), la fraîcheur matinale, la chaleur dès 10 heures du matin, et cela toujours avec la même tenue.

– **Rasez-vous** les jambes trois jours au moins avant une épreuve ou une longue sortie estivale : les petites coupures et écorchures doivent avoir le temps de se cicatriser, sinon elles vont vous gêner dès que la transpiration s'y infiltre ; même chose, messieurs, pour le visage : rasez-vous la veille, pas le matin, afin d'éviter les démangeaisons et picotements dus à la transpiration sur le visage.

– **On supporte mieux** la chaleur en étant peu gras, en revanche la graisse constitue un isolant au froid l'hiver ; les personnes ultra-minces souffrent plus du froid que les autres.

– **Recherchez** les routes et chemins ombragés. Ne partez pas trop vite. Évitez de rouler en maillot de bain ou torse nu : le dos, immobile et entièrement exposé, va en prendre un bon coup.

– **Réhabituez** votre corps très progressivement à la chaleur et au soleil. Dès l'hiver, faites transpirer votre organisme une fois par semaine avec (s'il le faut) une épaisseur de plus, surtout à l'approche des premières chaleurs printanières. Pour l'exposition de la peau au soleil, allez-y prudemment : celle-ci est demeurée couverte des mois durant. Alors pas plus de 15 minutes la première fois, puis 20, 30, sans plus ; si nécessaire, emmenez jambières et coudières pour rouler protégé. Une lotion protectrice s'impose pour visage, cou, avant-bras, cuisses, genoux, mollets. La casquette est indispensable.

– **En prévision** d'une épreuve qui risque de se dérouler par la chaleur (surtout en début de saison), allez rouler deux ou trois fois sous le soleil, mais sur une distance moindre, juste afin de vous acclimater ; le plus difficile à supporter est l'alternance froid/chaleur, classique le matin au printemps, ce qui nécessite deux ou trois sorties d'entraînement en milieu de journée.

– **Adaptez** votre alimentation au retour de la chaleur : moins de lipides (graisses), de sucres, plus de fruits et légumes frais de saison, supprimez l'alcool pur, soyez prudent avec le vin au repas de midi.

– **L'organisme** chauffe comme une machine au cours de l'effort. Il lui faut donc de l'eau pour se refroidir. Une ration de 0.75 à 1 litre de boisson par heure et par petites gorgées (toutes les 5 à 10 minutes, plus fréquemment si nécessaire) se révèle indispensable. Buvez frais mais non glacé, y compris après l'arrivée. Il est judicieux de boire avant d'avoir soif. Mais nous avons maintes fois observé (en vélo comme en ski de fond et en marathon) que si on arrive au départ normalement hydraté, il n'est pas indispensable de trop s'abreuver dès le premier ravitaillement d'une épreuve. C'est surtout **à partir de la mi-parcours, quand vous aurez beaucoup transpiré, qu'apparaît la grosse soif.** Et les organisateurs seraient bien inspirés de prévoir des ravitaillements en boisson plus nombreux (et plus copieux) en fin de parcours qu'au début. En randonnée ou à l'entraînement, ne partez pas sans argent afin de vous ravitailler dans un bar ou une épicerie. Et n'oubliez pas que si vous buvez trop avant le départ et juste après, vous risquez de devoir vous arrêter pour uriner (surtout par temps frais) et de perdre (parfois) les bonnes roues.

– **En cas de transpiration** très importante au plus fort de l'été, il peut être utile d'absorber un ou deux comprimés de chlorure de sodium en cours d'épreuve ou de diluer un sachet de sodium dans un bidon. Tout dépend de votre alimentation habituelle, d'autre part certaines préparations diététiques pour boisson renferment une quantité importante de sodium, comme de potassium d'ailleurs (important aussi en période de chaleur). À l'arrivée, n'oubliez pas le quart, voire le demi-litre d'eau bicarbonatée sodique dans les 15 minutes suivant l'arrivée d'une épreuve (ou d'un entraînement dur) afin de commencer à combler les pertes de l'organisme en sel et de neutraliser l'acidité de l'organisme. Il est possible que les urines soient très foncées, une conséquence normale de la déshydratation en fin d'épreuve ; ayez sous la main une bouteille d'eau minérale non gazeuse à boire au cours des deux ou trois heures suivant la fin de l'effort, quitte à vous promener avec, pour aller discuter avec les copains et assister à la remise des prix.

– **Par une température** de 30 à 35 degrés, on perd aisément 1,5 litre en 30 à 60 minutes, soit près de 2 % de son poids de corps quand on pèse 70 kg. Si vous ne buvez pas suffisamment, la perte de poids sera supérieure, avec risques de malaises.

– **Méfiez-vous** par temps chaud des plats cuisinés du commerce, pas frais du jour. Surveillez à l'achat la date limite de consommation des aliments périssables. Lavez-vous les mains plusieurs fois par jour.

– **Plus vous serez entraîné**, moins vous risquerez l'hyperthermie d'effort.

– **Par temps chaud**, adoptez un braquet plus petit, pédalez moins vite, adoptez un casque vraiment aéré.

– **Situations extrêmes** : crèmes et lotions protectrices, boissons en abondance, entraînement suffisant ne peuvent tout résoudre. Évitez plus que jamais les substances dopantes, surtout les amphétamines dont le danger est aggravé par la chaleur. En cas de malaise dû à la chaleur, descendez de vélo, asseyez-vous à l'ombre, tête adossée contre un arbre ou un mur, buvez (non glacé), enlevez une partie de vos vêtements (le haut surtout), consultez d'urgence les secouristes voire le médecin de service lors d'une épreuve.

8 - CERTAINES AFFECTIONS NÉCESSITENT DES PRÉCAUTIONS

Doit-on interdire le vélo dans certains cas ? Le Dr Roland Mathieu, du centre médico-sportif de Lyon, ne voit guère de contre-indications. Mais des précautions s'imposent.

• *Diabète*

Selon le Dr Mathieu « Les sports d'endurance font partie du traitement permettant aux diabétiques de diminuer leurs doses d'insuline, de manger des sucres lents avec moins de restrictions ». Il faut cependant :

– Ne pas s'entraîner seul, risque d'hypoglycémie.

– Avoir du sucre dans sa poche.

– En fonction des parcours et de leur longueur, la réduction des doses d'insuline pourra aller de 10 à 40 % de la dose habituelle : c'est intéressant pour les diabétiques de diminuer leur dose d'insuline.

– Une précaution importante est de ne jamais faire des injections d'insuline dans les zones musculaires intéressées par le sport considéré : pour le vélo (comme pour le jogging et le ski), pas au niveau des cuisses mais dans le dos.

– Absorber une boisson sucrée en cours de route.

– Manger une barre énergétique toutes les 35 à 45 minutes.

- *Épilepsie*

« Respecter des règles d'hygiène de vie, se reposer pour arriver frais et dispo au départ de la compétition, ne pas prendre d'excitants comme le café », souligne le Dr Mathieu, pour lequel il existe des médicaments comme le Tégrétol® qui permettent de faire du sport sans être assommé par des médications qui diminueraient la réactivité du sujet.

- *Asthme*

« Il faut impérativement éviter de rouler par temps froid et sec ou trop humide, surtout le matin et en zone urbaine. D'où la nécessité de se renseigner sur la météo du jour et de préférer les entraînements par temps chaud, la compétition étant à aborder avec prudence ainsi que le fractionné. L'entraînement s'effectuera à bas niveau, en débutant par une allure modérée sur 30 à 40 minutes, afin de bien adapter son rythme respiratoire pour ne pas créer d'hyperventilation. L'asthmatique doit partir avec sur lui un broncho-dilatateur pour remédier à toute crise ». Il faut boire de façon régulière avant, pendant et après un entraînement, même de courte durée (30 à 50 minutes), soigneusement s'échauffer, freiner l'allure voire s'arrêter complètement en cas de gêne, se détourner des fumeurs en tous lieux, surtout avant et après un effort sportif.

- *Varices*

– Évitez les entraînements ou sorties de loisir au moment de la plus grosse chaleur ; choisissez le matin tôt ou le soir, de nuit (avec éclairage).

– Pas de stations debout inutiles et pas de talons hauts pour les femmes.

– Douchez-vous à froid sur les jambes, mais immédiatement après l'effort sportif.

– Par temps chaud, au repos, enveloppez les jambes avec une serviette froide et humide.

– Par tous temps, au retour d'une sortie en vélo (ou de tout autre sport), étendez-vous en surélevant les jambes avec un coussin (ou couverture enroulée) sous les genoux afin de ne pas comprimer les veines.

– Ne confondez pas veines apparentes et varices.

– Le vélo améliore la circulation veineuse, mais vous pouvez ajouter de petits exercices : massage avec crème spécifique en partant des orteils et de la plante des pieds pour remonter vers le talon (5 minutes), puis massage des jambes (même durée) en remontant de la cheville vers le genou ; même chose pour les cuisses, du genou à l'aine.

• *Inégalité des membres inférieurs*

Au début vous ne sentirez rien. Les douleurs apparaîtront à la longue. Vérifiez d'abord les cotes correctes du guidon et de la selle, l'usure des chaussures et des pédales et soyez sûr de la hauteur correcte de votre cadre : il faut même commencer par là ! Si un membre est plus court que l'autre, votre médecin du sport ou votre podologue peuvent y remédier avec une semelle correctrice : on décèle par radio, debout, l'écart entre les deux jambes ; mais cette semelle n'est valable que pour une différence d'un centimètre maximum. On débute par une hausse de 3 mm avant de passer, si nécessaire, à 5 mm, toujours à l'intérieur de la chaussure. Certains fabricants de cales automatiques peuvent fournir, sur demande, des cales spéciales pour rehausser. Dans les cas extrêmes (par exemple 2 cm d'écart), certains fabricants de pédales et de pédaliers peuvent fournir des modèles orthopédiques. Avec 4 cm et plus, on adoptera probablement une manivelle plus courte du côté de la jambe trop courte.

• *Lombalgies*

Éliminons d'abord les **douleurs cervicales et dorsales** dues à une selle trop haute, d'où un dos rond et un cou trop tendu, ainsi qu'à une différence de hauteur des cocottes (poignées) de frein. **Certaines douleurs lombaires** peuvent avoir aussi une origine mécanique à cause d'une différence de longueur des membres inférieurs, d'un cadre trop haut et trop long, d'une selle également trop haute (trop sortie), outre un bec de selle orienté vers le haut, ce qui a pour effet d'arrondir les reins.

Il reste que la majeure partie des lombalgies, dont souffrent principalement les plus de 40 ans, n'a que **rarement pour cause la pratique du vélo.** Les accidents les plus fréquents surviennent plutôt en tentant de se baisser pour ramasser un objet lourd, en transportant un sac ou une valise, en la montant ou en la descendant d'un train, en effectuant des exercices d'assouplissement (les mains allant toucher la pointe des pieds, jambes tendues bien sûr, l'exercice utile pour les ischio-jambiers).

Un blocage se produit alors au niveau de la crête iliaque, à gauche ou à droite selon le cas. Il arrive qu'un côté devienne plus fragile que l'autre : généralement à la suite de plusieurs accidents ; on aura également très mal lors des changements de temps, surtout quand surviennent pluie et brouillard (un comprimé de paracétamol est utile à ce moment-là).

Quand un blocage se produit, la plupart du temps parce que les lombaires sont contractées (par le froid, la fatigue ou le manque d'assouplissement général du corps, voire les trois ensemble), la douleur est immédiate : on ressent comme un pincement avec une douleur qui irrigue dans la hanche puis dans la cuisse correspondante. Les choses s'aggravent si la colonne (entre les 2e et 3e lombaires) est touchée. On éprouve de la peine à se tenir droit. Médecin et kiné ne peuvent pas faire grand-chose ; dans les 24 à 48 heures qui suivent, il faut demeurer étendu, les pieds surélevés par un coussin sous les genoux afin de soulager la tension des lombaires, et absorber un calmant (aspirine, paracétamol). C'est quand la crise s'estompe un peu que le kiné commence à masser puis à manipuler. Des infiltrations par mésothérapie peuvent se révéler utiles. Dans les cas bénins, on peut recommencer à marcher (surtout ne pas courir à pied) au bout de trois ou quatre jours, mais on ne remontera pas sur un vélo sans l'avis du kiné, en recommençant par de très courtes sorties (une le matin, une le soir) plutôt que l'habituelle sortie plus ou moins longue.

• *Parmi les remèdes, remarquons :*

– **Porter des semelles** correctrices dans les chaussures de ville et pour les sports pratiqués debout (marche, course à pied, ski, roller, jeux de ballon, tennis…).

– **Utiliser** pour ces exercices des chaussures à semelles très amortissantes.

– **Effectuer chaque jour** quelques exercices de renforcement abdominal, étendu sur le sol, accoudé : 5 x 15 battements de jambes suivis par 5 x 15 ciseaux (jambes à l'horizontale). Récupérer 30 à 40 secondes entre chaque série de 15, deux minutes entre les deux types d'exercices. C'est le minimum indispensable et qui, en quelques semaines, vous fera progresser de façon étonnante.

– **Supprimer le port de toute charge lourde :** utiliser des sacs ou valises à roulettes, dans les gares demander un porteur, etc.

– **Éviter les mauvaises positions :** croiser les jambes (vous étirez la crête iliaque), écrire sur les genoux (vous devez vous courber), vous suspendre à des espaliers ou à un arbre, vous baisser constamment pour ramasser des objets au sol, vous tenir debout en position cambrée (très droit avec le ventre en avant et les fesses très en arrière), soulever un poids en penchant la tête vers le sol (accroupissez-vous pour ramasser l'objet, le dos constamment à la verticale), chercher à voir ce qui se passe derrière vous en tournant la tête, ôter ou enfiler vos chaussures ou pantalon en restant debout. Évitez de dormir sur le ventre (sinon avec un petit coussin sous l'estomac), levez-vous du lit en vous tournant sur le côté et ne vous mettez debout qu'une fois les jambes au sol, protégez la région lombaire du froid (ceinture chauffante par temps frais), portez une ceinture de contention des lombaires pour les efforts que vous ne pouvez éviter (le genre de ceinture utilisée par les haltérophiles et les lanceurs en athlétisme), enfin **pratiquez les étirements des ischio-jambiers et des quadriceps en étant couché sur le sol**, soit en vous faisant aider par un kiné (au moins au début) ou une autre personne, soit en vous aidant d'une corde à sauter ou d'une serviette de toilette afin d'étirer la jambe en position verticale, l'autre demeurant étendue au sol. Évitez aussi de conduire une voiture plus de 90 minutes sans vous arrêter pour marcher, vous décontracter. Pratiquez également un exercice simple pour vous décontracter et vous assouplir les lombaires : la position du musulman en prière, durant 90 secondes, les mains et les bras étirés devant vous.

9 - *REPRENEZ EN DOUCEUR APRÈS ACCIDENT, MALADIE OU OPÉRATION*

Le cas n'est pas rare du champion ou de la championne réalisant une grande « perf » après un arrêt prolongé : normal, cette personne a pu (enfin !) se reposer des durs entraînements. Si on s'arrête quelques semaines, l'expérience montre que les capacités cardio-vasculaires se perdent peu : c'est le tonus musculaire qui s'effrite, à moins de s'adonner à des exercices de remplacement limitant les dégâts (musculation des membres non touchés).

La personne habituée à l'effort physique quotidien risque, en se trouvant brusquement au repos complet durant une assez longue période, de subir le **syndrome du désentraînement** avec risque d'état dépressif, de légers malaises, d'arythmie cardiaque, de sueurs anormales, d'insomnies, etc. Et quand des sportifs de haut niveau mettent un terme à leur carrière, on leur conseille de ne pas arrêter brutalement, mais progressivement en quantité comme en intensité, en décélérant sur plusieurs mois.

• *Redémarrage*

– **Principe :** plus long est l'arrêt, plus la reprise est progressive et la date de la 1re épreuve repoussée. Un cycliste bien entraîné se remet plus facilement dans le coup : l'organisme garde en mémoire une grande partie des acquis de l'entraînement.

– **Objectif majeur :** mise en condition physique générale, non la « perf » à l'entraînement à seule fin de se prouver qu'on est encore capable de se distinguer (cela viendra plus tard, le moment venu, n'ayez aucun souci là-dessus). Mais c'est vrai qu'un arrêt d'un mois au cours de la préparation d'une grande épreuve impose de recommencer une bonne partie du cycle de préparation, de choisir une autre épreuve à une date ultérieure au lieu de mettre les bouchées doubles au risque d'une rechute. D'autant que certaines sensations se révèlent trompeuses : on est fringant à l'entraînement, mais le jour de l'épreuve ce sera une autre paire de manches !

– **Processus :** reprendre sur un vélo d'appartement, puis alterner un jour sur deux, vélo d'appartement et vélo de route, éviter le VTT en terrain difficile (trop grande résistance à l'avancement pour une personne convalescente, le vélo de route est plus facile). Remplacer certains jours le vélo par une sortie pédestre : jogging alterné avec marche rapide, parsemée d'étirements en pleine nature ou sur la pelouse d'un jardin, d'un terrain de sport (15 minutes).

Ce sont les 15 premiers jours de la reprise qui apparaissent les plus délicats : un peu de vélo chaque jour (avec petit braquet, le corps bien couvert) vaudra mieux que de longues séances un jour sur deux ou sur trois. Le rythme cardiaque ne dépassera pas 70 % de la FC Max les premiers jours.

Au bout de ces 15 jours, selon vos sensations, si vous n'observez aucune rechute, allongez peu à peu les distances (5 km par jour), moins les vitesses et les cadences de pédalage.

Par la suite, reprenez l'entraînement par intervalles : des petites « bosses » courtes, peu pentues (au début), en maintenant le rythme jusqu'au sommet pour embrayer assez vite dans la descente. À la moindre sensation douloureuse ou en cas de défaillance grave, arrêtez tout entraînement et retournez voir le médecin ou le kiné, voire les deux ensemble. Méfiez-vous des temps froids et humides : ils sont défavorables à une reprise accélérée du sport après blessure. Le vélo est sans doute de tous les sports l'un des moins dangereux (avec la natation) pour la reprise après une longue période d'arrêt : ce n'est pas pour rien qu'on le prescrit à d'autres sportifs blessés (skieurs, marathoniens, joueurs de rugby, etc.).

Il vous faudra sans doute un mois avant de retrouver de bonnes sensations de forme et de rythme en cas d'arrêt prolongé. Remettez-vous à la compétition par une « vélosportive » de quelques dizaines de kilomètres seulement, sans forcer votre talent en vous contentant de prendre les bonnes roues. Si vous êtes cyclotouriste, choisissez la distance la plus courte parmi celles qui vous sont proposées lors du rallye dominical. En vue d'un grand brevet, imposez-vous une sortie de 150 km en endurance afin de vous réhabituer à la position sur le vélo durant plusieurs heures d'affilée.

Dans tous les cas, **la reprise est différente selon la gravité** de la maladie, de l'accident ou de l'opération : après une grippe, ce n'est pas la même chose qu'après une fracture du fémur (cas rare heureusement en cyclisme). Médecin et kiné surveilleront attentivement cette reprise, à condition que vous suiviez fidèlement leurs sages conseils de prudence.

10 - PRENEZ UNE ASSURANCE !

Ne débutez pas une saison sans assurance. Soyez même assuré toute l'année avec une :
– assurance en responsabilité civile avec clause défense/recours,
– assurance individuelle-accident,
– assurance contre le vol de votre vélo (pour un haut de gamme).

Votre (éventuelle) licence de membre d'une fédération de cyclisme, de cyclotourisme ou d'une fédération omnisports peut inclure ces clauses : vérifiez celles qui n'y figurent point et souscrivez, le cas échéant, une assurance complémentaire.

L'organisateur d'une compétition ou d'une randonnée doit souscrire une assurance en responsabilité civile ; cela ne vous dispense nullement de la vôtre. Si vous disposez d'une licence de cyclo-tourisme, elle ne couvre en rien les risques encourus quand vous prenez part à une compétition, même cyclosportive.

Il est des questions que vous devez vous poser et poser à votre assureur :

– En quoi suis-je couvert par ma responsabilité civile ?

– Si je cause un accident tout en roulant en vélo, que se passe-t-il ? Et si je tombe tout seul ?

– Si je suis victime d'un accident, ai-je droit à des indemnités pour arrêt de travail ? Puis-je bénéficier de frais de rapatriement ?

Il est aussi des précautions à prendre quand on roule avec d'autres cyclistes ou cyclotouristes, même amis. Les assureurs se plaisent à vous raconter des histoires à peine croyables, mais ô combien édifiantes. Celles d'amis de toujours qui partent rouler ensemble, comme d'habitude. L'un d'eux en fait tomber un autre qui se retrouve plus ou moins blessé : à partir de là, tout change, l'ami blessé intente un procès à son copain, uniquement afin de recevoir une indemnité ; de toute façon, s'il ne le fait pas lui-même, son épouse le fait (surtout en cas de décès). Un assuré prudent en vaut deux !

Important encore, quand vous partez en vélo de chez vous ou de votre lieu de villégiature, **n'omettez pas de signaler à votre entourage dans quelle direction vous vous rendez :** surtout en VTT, afin que la nuit tombée une armada de secouristes ne se mette pas en mouvement pour vous rechercher. Cas vécu, celui de ce vététiste qui, au lieu de rentrer à son hôtel, était allé coucher chez des amis : pour le rechercher, les gendarmes de montagne avaient même mobilisé un hélicoptère…

Ayez aussi sur vous, en permanence, une carte de visite ou une carte d'identité, et sur un autre papier le nom de la personne à prévenir en cas d'accident : en cas d'opération urgente, un chirurgien a besoin de l'autorisation de vos proches (épouse, parents…).

Lors d'une manifestation de masse, **surveillez votre vélo** avant et après la course : les vélos sur le toit de la voiture ou sur la porte arrière, sans cadenas, sont la proie facile des voleurs ; il ne se passe guère d'épreuve où le haut-parleur ne fasse pas état de disparitions. Or, si votre vélo ne dispose d'aucun dispositif antivol, votre assurance contre le vol de vélo risque de ne pas jouer.

11 - *QUELLE ATTITUDE ADOPTER FACE À UN CHIEN AGRESSIF ?*

À pied, il suffit généralement de s'immobiliser et d'attendre que l'animal finisse par s'en aller. Les chiens nerveux sont excités par une personne en mouvement, donc par une personne roulant en vélo qui aura, sans le vouloir, réveillé en sursaut l'animal ou empiété sur ce qu'il considère comme « son territoire ».

Si vous avez affaire à un chien récidiviste, agressif à répétition, dont le propriétaire ne fait rien pour le retenir, signalez le cas aux autorités (mairie, police). Le danger n'est pas mince pour les vététistes traversant des cours de ferme et tout autre territoire où l'animal règne en maître ; alors circulez à faible allure en ce cas, comme lors d'un croisement avec un chien même tenu en laisse. Ailleurs, un cheval, un chat, un lièvre, un hérisson (la nuit) peuvent présenter un danger pour une personne circulant un peu vite en vélo.

Pour se protéger des chiens, on trouve de petites « bombes » lançant un gaz inerte avec émission d'un son perçant susceptible de heurter l'ouïe du chien. Que les protecteurs des animaux se rassurent, il n'y a là rien de méchant, pas plus que de balancer un vêtement ou de déverser l'eau de votre bidon sur la tête du chien (vraiment très très méchant). À moins d'emporter un os avec vous... Si vous avez peur d'un chien, il est important qu'il ne s'en aperçoive pas. Mais les morsures semblent survenir plutôt quand on fait peur à un animal : nous avons été mordu deux fois au mollet, une fois à 20 km/h au passage devant la porte (restée entrouverte) d'une villa, par un chien de petite taille venu ensuite se faire pardonner en se frottant contre l'autre mollet ; une autre fois, un véritable molosse nous a contraint à emmener le grand braquet, frisant le record du 200 m départ lancé, comme quoi l'entraînement foncier finit toujours par payer...

12 - SÉCURITÉ ROUTIÈRE

• *Que risquez-vous ?*

D'abord l'accident en groupe, surtout à plus de deux de front : on croit à tort que le fait de rouler nombreux ensemble impressionne les automobilistes et dispense de respecter le code de la route. Évitez tout mouvement intempestif (freinage, changement de direction non signalé), changement de trajectoire, arrêt non signalé à l'avance à vos partenaires.

• *Quels remèdes ?*

Méfiez-vous en premier lieu des véhicules venant en face. De ceux aussi arrivant par derrière et qui risquent de tourner à droite en vous faisant une « queue de poisson ». Choisissez des itinéraires avec peu de trafic et évitez les heures de pointe. Les vêtements réfléchissants par mauvaise visibilité le jour et dès la nuit tombante sont indispensables, l'éclairage du vélo (AV/AR) aussi, y compris dans une avenue bien éclairée : si un automobiliste vous renverse, il pourra toujours dire qu'il ne vous a pas vu et le code de la route lui donnera raison (cas vécu).

• *Les plus exposés aux accidents ?*

Les groupes ou pelotons, surtout le dimanche matin de bonne heure quand les noceurs (ou les loubards) rentrent se coucher, fatigués et chargés d'alcool, roulant à grande vitesse en plein milieu de la route. C'est le moment de disposer d'un éclairage (même sur un vélo de course, mais oui !) et de rouler en file simple. Les jeunes et le troisième âge sont statistiquement les plus exposés. En revanche, les coureurs cyclistes à l'entraînement manifestent une habileté souvent diabolique pour se frayer un chemin dans l'enchevêtrement des véhicules ; ils passent souvent par de véritables écoles de cyclisme où leur sont enseignées les astuces pour conduire un vélo dans toutes les circonstances, y compris l'art de savoir tomber sans se faire (trop) mal. Surtout ne les imitez pas en vous faufilant à votre tour dans le trafic.

• *Que faut-il aménager ?*

– Des couloirs délimités à la peinture, interdits aux voitures.

– Des pistes cyclables en site propre quand le couloir ne protège pas suffisamment, surtout s'il existe à droite de la route un espace libre (large trottoir que l'on peut partager avec les piétons) ou encore si se trouve à proximité un chemin de halage, un chemin goudronné transformable en voie « interdite sauf riverains » (tous vélos néanmoins admis) ou une ancienne voie ferrée d'intérêt local désaffectée.

– Des itinéraires balisés empruntant des routes et rues à faible trafic, avec panneaux indiquant la présence de cyclistes (sous-entendu « plus nombreux qu'ailleurs »).

• *À souligner*

– Les aménagements se révèlent nécessaires avant tout pour sortir d'une agglomération, la traverser, y revenir, rarement en pleine campagne (sauf grandes routes) où les cyclistes doivent conserver tout leur droit à la route.

– Les cyclistes sportifs (coureurs, cyclosportifs) délaissent souvent les pistes cyclables en site propre parce qu'elles leur imposent de ralentir pour y pénétrer, pour en sortir (danger de heurter un autre véhicule), lors d'une traversée de carrefour (aménagé spécialement ou non pour les cyclistes). Sauf mention expresse, les aménagements cyclables sont obligatoires (code de la route), d'autant qu'ils sont effectués pour la sécurité des cyclistes. Une piste cyclable n'étant pas une piste de vélodrome, elle impose d'y rouler avec une certaine prudence (vitesse limitée, risque de collision avec des cyclistes arrivant en face pour qui y roule trop vite). Alors ne découragez point ceux et celles parmi les élus et fonctionnaires qui agissent en faveur des aménagements cyclables : utilisez-les chaque fois qu'il en existe, sinon les opposants à ces aménagements (relativement coûteux pour les contribuables) auront beau jeu de dire qu'ils sont peu ou pas utilisés par les cyclistes.

• *En VTT*

Faites vôtres ces 10 commandements des montagnards expérimentés :

– **Entraînez-vous,** soyez en bonne condition physique.

– **Équipez-vous,** ayez un matériel adapté et apprenez à vous en servir.

– **Choisissez** un parcours à votre niveau, sachez mesurer vos capacités physiques et techniques.

– **Étudiez** votre itinéraire, prenez conseil auprès des organismes compétents (poste de secours, service des pistes, bureau des guides…).

– **Ne partez jamais** seul, cherchez à avoir dans votre groupe une personne qui connaisse bien la montagne.

– **Renseignez-vous** sur la météo en prenant contact avec les répondeurs automatiques du service concerné dans la région visitée.

– **Prévenez** quelqu'un de votre itinéraire et de l'heure approximative de votre retour.

– **Faites appel** à un professionnel pour vous guider ou vous conseiller lors d'un itinéraire difficile.

– **Sachez** faire demi-tour en cas de difficultés ou de changement des conditions atmosphériques.

– **Organisez** votre sécurité. Emportez une trousse de premiers secours, apprenez les signaux de détresse.

13 - UN REMÈDE : PERFECTIONNEZ VOTRE VÉLO

Moins de fatigue, un meilleur rendement, des risques d'accidents limités, cela peut dépendre de votre vélo. Alors autant le soigner !

❱ **Premier écueil**

Un vélo de pro n'est pas obligatoirement un gage d'efficacité et de

fiabilité totales. Un vélo payé très cher ne veut pas dire grand-chose : l'essentiel est que **le cadre** dure en moyenne deux saisons sportives, voire un peu plus. Votre vélo ne vous donnera satisfaction que si vous savez bien acheter : en fonction de l'utilisation projetée (compétition, cyclosport, randonnée, route ou tout-terrain, circulation utilitaire en ville), de votre niveau d'entraînement, de vos possibilités physiques actuelles, de vos goûts, de vos moyens financiers.

▶ Deuxième écueil

Posséder un vélo qui ne soit pas à vos cotes : hauteur du cadre (le plus important), longueur du tube supérieur, longueur de la potence et largeur du cintre (guidon), longueur des manivelles (pas plus de 170 mm, les records du monde de l'heure sont battus à 104 tours de pédale/minute avec des 170). Voici les précautions minima à prendre, avec un réglage correct de la position de la selle (sortie du cadre, avancement longitudinal) et des cales pédales, afin de pédaler à l'aise et en sécurité. Arrivé à ce stade, rien ne vous empêche, à la fin de votre saison sportive par exemple, de perfectionner votre vélo : pour le confort, l'efficacité, la légèreté, la sécurité.

▶ Plus léger

Il le sera avec des pneus ou boyaux à haut rendement. D'une façon générale après la rigidité du cadre soignez en priorité les pièces qui tournent, le secret du rendement d'un vélo est ici : le plus gros progrès depuis l'invention du dérailleur (dans les années 1930) est venu de la roue (roue pleine lenticulaire ou paraculaire, roue à bâtons, jantes ovalisées, nombre de rayons limité…). Entraînez-vous avec des roues de bonne qualité, mais gardez une paire encore meilleure pour les épreuves dominicales. On observe le même principe dans les autres sports : en ski, en marathon, on évite de s'entraîner avec du matériel trop bon marché, donc tocard, sinon c'est la galère, et le jour de la compétition on troque le « mulet » pour le matériel le plus performant. En vélo, des matériaux comme les composites et le titane sont des « plus » incontestables (y compris le titane pour le moindre boulon ou axe), mais un matériel trop léger peut devenir dangereux (et inefficace, à faible rendement) pour une personne pesant plus de 80 kg.

▶ Plus sûr

Grâce à des boyaux ou pneus à stries, non des lisses dérapant trop facilement sur sols humides, boueux, sablonneux. En VTT le choix des pneus selon la nature du sol est encore plus difficile. Montez des chambres à air anticrevaison sur des jantes à flancs en céramique assurant un freinage supérieur. Avec (sur votre vélo de route) un jeu de direction type VTT (plus longue durée de vie), des porte-bidons à becquet de blocage évitant que la précieuse boisson ne s'envole au passage d'un trou, d'un ralentisseur (dit aussi « gendarme couché »). Il vous manque encore une lampe torche AV/AR pour les départs à la fraîche et les retours à la tombée de la nuit. Durant le transport en voiture, train, avion, protégez les tubes de votre cadre avec une housse spéciale. Soignez l'entretien de votre chaîne. Vérifiez avant et après chaque sortie l'usure des freins (patins, câbles, flancs de la jante).

▶ Plus efficace

Pour la route, il est peut-être temps que vous passiez du double au triple plateau. Le compteur de vitesse et de kilomètres, l'indicateur de cadence du pédalage (plus important encore que l'appareil précédent) vous éviteront de rouler à l'aveuglette. Les chaussures autorisant la marche seront utiles à beaucoup lors des itinéraires un peu trop pentus comme pour les haltes touristiques. Efficace et sûr, le réservoir sac à dos avec pipette arrivant au visage ou celui placé sous la selle avec pipette au cintre : pour boire sans lâcher les mains du guidon. Contre les moucherons (risque d'accidents si vous êtes aveuglé) des lunettes s'imposent. Enfin, le guidon de triathlon stabilise hanches et épaules sur le plat et en montée, d'où un rendement nettement amélioré ; mais ne l'utilisez pas en groupe, en peloton (dans les courses son port est interdit), dans les descentes et le trafic urbain, les mains se trouvant éloignées des freins.

Chapitre **VII**

Et maintenant testez-vous !

Vous vous êtes préparé méticuleusement. Vous attendez le jour « J », le grand rendez-vous que vous vous êtes fixé, plus les jours passent plus l'appréhension vous gagne : « Serai-je, le moment venu, à la hauteur de mes espoirs et de mes ambitions ? » est la pensée qui vous hante le plus.

Se rassurer devient pour beaucoup un impératif, le doute gagne du terrain : alors les risques d'imprudence sont grands. Tel celui, à quelques jours de la date fatidique, de vous lancer dans une sortie chronométrée à grande vitesse ou dans une longue séance d'endurance : comme si, en quelques jours, votre organisme risquait d'avoir tout oublié !

Or, à ce moment-là, il est bien tard pour s'entraîner ; si vous éprouvez un doute, peut-être légitime, sur la qualité de votre entraînement durant les semaines écoulées, vous ne pouvez en fait plus rien y changer : il faudra faire avec. De toute façon, c'est le moment de ne pas oublier que la période de semi-repos qui vous est imposée n'est pas suffisamment longue pour que vous perdiez les multiples acquis de mois d'entraînement.

Le corps a une mémoire : les bienfaits des centaines (voire des milliers) de kilomètres de vélo ne vont pas disparaître en quelques jours.

ALORS QUE FAIRE ?

• *Comme préparation à la compétition ,*

(ou à un grand brevet), **testez-vous lors d'une épreuve de durée plus courte**, à bon rythme, sans jamais pédaler à fond, ainsi que nous vous l'avons proposé au chapitre sur l'entraînement.

• *Surveillez attentivement les multiples paramètres de la forme que sont :*
  – le poids,
  – la tension,
  – le rythme cardiaque,
  – l'acidose,
  – le bilan sanguin,

comme expliqué en détail dans les chapitres précédents. À la condition de ne point devenir esclave du pèse-personne et du CFM, et de ne pas prendre votre tension trois fois par jour tous les jours. Cela ne servirait à rien et pourrait même vous induire en erreur. Ces tests que vous pouvez effectuer vous-même (hormis le bilan sanguin) ne sont jamais que de simples repères à comparer avec vos sensations personnelles.

• *Posez-vous les bonnes questions*

Nous en avons noté 35 : un véritable bilan destiné à trouver, si nécessaire, des solutions pour mieux pédaler, avec plus de plaisir.

• *Vos sorties*

A. Combien d'années de pratique du vélo (route ou VTT) :
  a) – un an,
  b) – trois ans,
  c) – plus.

B. Votre poids :
  a) – 65 kg et moins,
  b) – 66 à 75 kg,
  c) – 76 kg et plus.

C. Étudiez-vous vos parcours à l'avance ?

D. À quelle allure partez-vous ?

E. Fréquence de vos sorties :
    a) – une par semaine,
    b) – deux à quatre,
    c) – chaque jour.

F. Distance de vos sorties :
    a) – moins de 50 km,
    b) – 50 à 100 km,
    c) – plus de 100 km.

G. Roulez-vous seul ou en groupe ?

H. Roulez-vous matin ou après-midi ?

I. Comment respirez-vous ?
    a) – par le nez,
    b) – par la bouche,
    c) – par le nez et la bouche.

J. Comptez-vous vos pulsations ?

K. Au retour comment vous sentez-vous ?
    a) – très las,
    b) – avec un robuste appétit,
    c) – dormez-vous mieux ou moins bien.

L. Quel écart respectez-vous entre deux épreuves ?
    a) – une semaine,
    b) – deux semaines,
    c) – plus.

• *Votre matériel*

A. Prenez-vous un vélo de Grand Prix pour vos sorties d'entraîne-ment ou vos balades ?

B. Empruntez-vous parfois le vélo d'un ami ?

C. Vérifiez-vous attentivement votre vélo avant de partir ?

D. Gonflez-vous pneus ou boyaux au jugé ?

E. Connaissez-vous les braquets dont vous disposez ?

F. En achetant votre vélo de route ou votre VTT avez-vous pensé au SAV (Service Après-Vente) ?

G. Attachez-vous de l'importance à votre élégance et à celle de votre vélo ?

H. Qu'emportez-vous sur votre vélo ?
  a) – un, deux, trois bidons,
  b) – ni chambre à air ni boyau de rechange,
  c) – une pompe, un mini-gonfleur,
  d) – un coupe-vent, un imperméable,
  e) – rien dans les poches,
  f) – sac à dos, musette, sac de guidon (de selle, de cadre).

• *Votre santé*

A. Accordez-vous de l'attention à la diététique ?

B. Avez-vous recours à la pharmacie pour améliorer vos « perfs » ?

C. Comment vous alimentez-vous ?

  a) – deux repas/jour,

  b) – trois repas,

  c) – par prises périodiques.

D. Sur 100 km et plus prenez-vous ?

    a) – aliments solides,

    b) – aliments liquides,

    c) – uniquement de l'eau plate.

E. Avez-vous pris du poids cet hiver ?

F. Ressentez-vous des crampes ou douleurs dorsales en roulant ?

G. Vous couvrez-vous les membres inférieurs par le froid et la pluie, y compris à l'arrêt (avant et après une sortie ou une épreuve) ?

- **Votre moral**

A. Pourquoi faites-vous du vélo ?

    a) – parce que votre médecin vous le conseille,

    b) – par recherche systématique de la performance,

    c) – pour rigoler, admirer le paysage, les monuments, sans souci du chrono.

B. Vos proches doivent-ils vous faire sauter du lit pour que vous alliez faire du vélo ?

C. Avez-vous une méthode de préparation ou roulez-vous en fonction de votre humeur et de la forme du moment ?

D. Avez-vous ressenti le « coup de bambou » lors d'une sortie, d'une compétition, d'un brevet ?

E. Votre assiduité envers le vélo est-elle admise par votre entourage : famille, employeur, école, amis ?

F. Avez-vous une autre activité sportive ou de loisir ?

G. Le vélo vous fait-il voyager dans d'autres régions ou pays ?

H. La pratique du vélo vous relaxe-t-elle mentalement ?

RÉPONSES : QUE D'ERREURS À ÉVITER !

• *Vos sorties*

A. a) – Vous en baverez des ronds de chapeau si vous tentez de suivre les plus costauds

b) – Le métier doit commencer à rentrer, vous éprouvez moins de mal aux jambes dans les côtes, moins de douleurs dans les muscles du cou et du dos, vous risquez moins le coup de pompe sur une longue distance

c) – Vous voici chevronné ; ne vous endormez point sur ces lauriers, vous pouvez encore vous améliorer

B. a) – Vous éprouvez de la facilité pour grimper, mais gare à toute baisse anormale du poids suite à de gros efforts ; plus un gramme à perdre

b) – Un poids normal correspondant sûrement à votre taille ; s'il correspond à une solide musculature, vous grimperez en force et obtiendrez des résultats non négligeables. Avec plus de 75 kg, Indurain devançait bien des grimpeurs légers dans les cols, alors...

c) – Si vous êtes tout en muscles, vous pouvez être un rouleur d'exception, providence des suceurs de roue. S'il s'agit de graisse, suivez un régime approprié afin de perdre du poids : rouler àen vélo ne suffira pas pour y arriver.

C. Si ce n'est pas le cas, vous risquez d'abattre des « bornes » inutilement, de vous fatiguer sans motif, de rentrer à la nuit (risque d'accident). Et vous louperez tel panorama, tel site pittoresque.

D. Plus de 30 km/h ? Erreur ! Partez lentement afin d'échauffer votre organisme. En VTT, débutez votre sortie par du terrain facile afin de vous échauffer. En la matière, le jour d'une épreuve, arrivez en vélo au départ (les 10 derniers kilomètres uniquement, cela va de soi !) ou allez rouler 15 minutes afin de pouvoir partir vite, de rester dans les bonnes roues. En VTT, il est important pour une « perf » de bien se placer dès le départ lors des épreuves en ligne.

E. a) – C'est peu si vous devez affronter une longue distance et la montagne lors d'une épreuve dont la date se rapproche.

b) – L'idéal : un jour sur deux ou trois afin de bien récupérer.

c) – Vous êtes un pro : rentier, retraité, chômeur, à moins de faire sauter l'école ou la fac (à déconseiller). Gare au surentraînement. Ménagez-vous un repos « physique » un jour par semaine. Alternez sortie longue avec sortie courte, une en intensité avec une en décontraction.

F. a) – Excellent pour la mise en jambes, la balade.

b) – L'idéal, en alternance avec une sortie plus longue

c) – 2 à 3 fois par semaine pas plus, 200 km maxi une seule fois par semaine ; mais jamais une sortie aussi longue dans les 7 jours précédant une compétition ou un brevet. Quand les épreuves sont espacées d'une semaine, semi-repos entre les deux épreuves, 2 ou 3 sorties de une à deux heures en moulinant.

G. En roulant à deux ou trois on s'ennuie moins, ou roule roue dans roue, on apprend à prendre des relais (route), on s'entraide (tout-terrain). Évitez de rouler à deux de front (route). En groupe (sortie de club par exemple), faites-vous suivre par une voiture qui assurera une relative sécurité (plus dépannage/ravitaillement).

H. Matin : parfait en été pour éviter la chaleur, à moins de sortir en fin d'après-midi. C'est le moment de la journée où l'organisme est censé avoir le meilleur rendement : bien qu'il nous soit arrivé d'être « super » certains matins, mais après un bon échauffement ou un départ progressif. Rouler en fin d'après-midi présente deux inconvénients : en cas d'incident (crevaison, etc), risque de rentrer à la nuit ; on va se coucher peut-être plus tard en étant fourbu, d'où un risque d'insomnie.

I. a) – Vous vous essoufflez plus facilement

b) – Vous respirez les poussières que les poils du nez auraient filtrées.

c) – La bonne formule pour une ventilation correcte, sans faire le soufflet de forge ; fermez la bouche, voire mettez-vous quelques secondes en apnée (arrêt de toute respiration) lors d'un nuage de poussière ou du passage d'une voiture.

J. – Au repos, après une accélération, il est utile de connaître son pouls. Pas plus de 150/200 pulsations/minute au plus fort de l'entraînement. Un pouls à moins de 60 au repos vous prédispose (en principe) pour l'effort sportif, mais parlez-en à votre médecin du sport. Et connaissant votre VO2 vous saurez quelles sont vos limites à respecter.

K. a) – La fatigue du jour se sera accumulée à celle des jours précédents. Repos « physique » de 3 à 4 jours avec étirements, marche en plein air, hydrothérapie, massages. Prenez ou faites prendre votre tension.

b) – Un bon signe.

c) – L'insomnie après un effort est un signal d'alerte. Rien de grave en revanche au soir d'une épreuve couronnée de succès : vous rentrez euphorique, un peu excité ; rien d'anormal. C'est seulement ennuyeux pour la reprise du boulot le lendemain...

L. a) – Si vous ne pouvez faire autrement ; une ou deux sorties en vélo minimum, courtes en moulinant, juste pour respirer et transpirer, vous feront du bien. Mais ne « paumez » plus de « jus ».

b) – Délai préférable afin de bien récupérer, avec une sortie longue au milieu et quelques sorties bien rythmées mais de courtes distances, en observant un repos (actif) durant les deux jours suivant une épreuve et durant les deux jours précédant la suivante.

c) – Attention de ne pas perdre la forme : une sortie longue par semaine (exemple 150 à 200 km) pour un cyclosportif adepte des longues distances, une sortie d'endurance éventuellement sur route pour un vététiste, les autres sorties étant axées sur les entraînements en résistance moyenne voire dure (sauf durant les 5 derniers jours avant le prochain grand rendez-vous).

• *Votre matériel*

A. Réservez des roues neuves pour le « grand jour ». Mais ne vous préparez pas sur un vélo pourri sous prétexte de faire des économies ou de finir d'user le matériel ancien : vos entraînements risquent d'être de mauvaise qualité et vous n'éprouverez guère de plaisir à pédaler.

B. Si c'est oui, à déconseiller, car le vélo n'est pas à vos cotes, sauf heureux hasard.

C. Si oui, meilleur freinage, moins de crevaisons, de rayons cassés.

D. Non ? Vous devriez troquer le pifomètre pour le...manomètre comme pour votre voiture (meilleur rendement, meilleure adhérence au sol, moins de risques de crevaisons).

E. Non ? Prévoyez des chaussures de marche pour les « bosses » et des crampes pour le plat (trop gros braquets).

F. Non ? Alors, savez-vous réparer jeux de direction ou de pédalier, tendre les rayons ? Hum...

G. Pas du tout ? Alors recyclez-vous en prenant conseil auprès d'une femme (nos compagnes ont parfois plus de goût que nous) ou d'un... décorateur. Vêtements et vélo peuvent s'harmoniser tous ensemble, sans payer plus. Dans notre quartier, notre immeuble, notre village, nous sommes tous les ambassadeurs du cyclisme : attention à l'image que nous en donnons. Et puis bien habillé, élégamment même, ne se sent-on pas plus à l'aise ?

H. a) – Deux bidons en permanence, trois par très forte chaleur en région « désertique ».

b) – Vous êtes mûr pour le jogging, avec les cales sous les chaussures conçues pour les pédales automatiques !

c) – Pompe préférable, le mini-gonfleur sert une fois.

d) – Coupe-vent utile même par beau temps l'été (descente d'une longue côte, a fortiori d'un col).

e) – Même les pros emportent des barres énergétiques, pas vous ?

f) – Équipement à choisir selon votre spécialité : route ou tout-terrain, compétition ou randonnée.

• *Votre santé*

A. En sport de fond c'est primordial tout au long de l'année, même en période de repos.

B. Après avis de votre médecin du sport, recours possible à un complément vitaminique et minéral afin de remédier à une carence, surtout en période de gros entraînements et (ou) si les épreuves sont très rapprochées les unes des autres. Rien de plus. Compris ? Mais le repos demeure la meilleure arme antifatigue.

C. a) – Pas rationnel.

b) – Bon avec un solide petit-déjeuner et un dîner léger.

c) – Bien le jour de la randonnée de longue distance, par exemple.

D. a) – Deux ou trois heures avant le départ, c'est mieux.

b) – La meilleure formule, pas besoin de respecter la loi des trois heures, absorption facile en cours d'effort.

c) – Risque évident d'hypoglycémie (absence de sucres lents en réserve dans l'organisme, tel un réservoir vide).

E. 2 à 4 kg maxi, pas de quoi en faire une montagne, vous les reperdrez au printemps.

F. Oui ? Le cadre est inadapté à vos mensurations, selle et guidon mal réglés (commencez les recherches par là). Avant de voir le kiné, voir le vélo !

G. Oui ? Vous préservez vos jambes en prévision des beaux jours. Sauf par grosses chaleurs, les pros enfilent un collant ou pantalon de survêtement après l'arrivée, pas vous ?

- *Votre moral*

A. a) – Il vous aura prescrit également de ne pas trop en faire !

b) – Ne tombez point dans le « championite », votre patron ne vous paye pas pour faire du vélo, et vous ne ferez pas la « une » des journaux lundi matin ; alors doucement.

c) – Vous êtes plus cyclotouriste que coursier, bien que beaucoup de coureurs sachent apprécier les belles contrées où ils vivent et s'entraînent.

B. Oui ? Vous êtes peu motivé. Le vélo est une corvée !

C. Non ? Alors planifiez votre saison pour garder la forme en permanence.

D. Oui ? Parfait. Ainsi, vous saurez ce que c'est et l'éviterez plus facilement dans l'avenir. On progresse par ses erreurs.

E. À vous de ne pas placer le vélo avant famille et boulot.

F. Non ? Vous êtes polarisé sur le vélo. Un sport de complément vous évitera la saturation. Allez au spectacle (ciné, théâtre, concert). N'attendez point 80 ans pour en profiter.

G. Sûrement si vous vous inscrivez dans des épreuves hors de votre région : un bon moyen d'éviter la lassitude morale, de s'ouvrir l'esprit, de se cultiver.

H. On l'espère. Sinon vous avez l'œil trop rivé au compteur électronique du guidon. Relevez la tête, regardez le paysage, respirez à fond, effectuez des haltes (touristiques).

Conclusion

Apprenez à concilier qualité de l'entraînement et plaisir de rouler !

Vous élancer pour de longues distances sur routes et chemins, gravir sans vous asphyxier les plus grands cols qui ont fait la légende du cyclisme, sillonner les sentiers les plus difficiles, c'est possible en vous préparant de façon intelligente, c'est-à-dire très progressivement, avec un matériel et une technique impeccable, en tirant parti de l'expérience de terrain de médecins physiologistes, de kinés, de diététiciens de haut niveau.

Apprenez à repousser vos limites, qui que vous soyez, hommes, femmes, jeunes ou vétérans, en vous entraînant pas forcément plus, mais mieux.

Rappels Techniques :

1 – À vitesse égale : Puissance égale. *Exemple : à 40 km/h : puissance identique en 42/16 ou 52/16.*
2 – La cadence optimale pour l'équilibre musculaire (contraction/oxygénation) est d'environ 100 t/mn.
(Ex : tous les records de l'heure ont été réalisés au-dessus de 100 t/mn – Rominger : 103 t/mn environ).
Il est donc préférable de s'entraîner à 100 t/mn au moins sur le plat pour acquérir cette cadence automatique.

Tableau pour mémoriser la vitesse à la cadence de 100 t/mn avec quelques Braquets repères.

Table des Braquets et des Vitesses à Cadence 100 t/mn (pneu de 23 mm).

Dent AV/AR	12	13	14	15	16	17	18	19	20	21	22	23	24	25	26
32 Vitesse	5,64 33,86	5,21 31,25	4,84 29,02	4,51 27,08	4,23 25,39	3,98 23,90	3,76 22,57	3,56 21,38	3,39 20,31	3,22 19,35	3,08 18,47	2,94 17,66	2,82 16,93	2,71 16,25	2,60 15,63
34 Vitesse	6,00 35,97	5,53 33,20	5,14 30,83	4,80 28,78	4,50 26,98	4,23 25,39	4,00 23,98	3,79 22,72	3,60 21,58	3,43 20,56	3,27 19,62	3,13 18,77	3,00 17,99	2,88 17,27	2,77 16,60
36 Vitesse	6,35 38,09	5,86 35,16	5,44 32,65	5,08 30,47	4,76 28,57	4,48 26,89	4,23 25,39	4,01 24,06	3,81 22,85	3,63 21,76	3,46 20,78	3,31 19,87	3,17 19,04	3,05 18,28	2,93 17,58
38 Vitesse	6,70 40,20	6,19 37,11	5,74 34,46	5,36 32,16	5,03 30,15	4,73 28,38	4,47 26,80	4,23 25,39	4,02 24,12	3,83 22,97	3,65 21,93	3,50 20,98	3,35 20,10	3,22 19,30	3,09 18,56
39 Vitesse	6,88 41,26	6,35 38,09	5,89 35,37	5,50 33,01	5,16 30,95	4,85 29,13	4,58 27,51	4,34 26,06	4,13 24,76	3,93 23,58	3,75 22,51	3,59 21,53	3,44 20,63	3,30 19,81	3,17 19,04
40 Vitesse	7,05 42,32	6,51 39,06	6,05 36,27	5,64 33,86	5,29 31,74	4,98 29,87	4,70 28,21	4,45 26,73	4,23 25,39	4,03 24,18	3,85 23,08	3,68 22,08	3,53 21,16	3,39 20,31	3,26 19,53
41 Vitesse	7,23 43,38	6,67 40,04	6,20 37,18	5,78 34,70	5,42 32,53	5,10 30,62	4,82 28,92	4,57 27,40	4,34 26,03	4,13 24,79	3,94 23,66	3,77 22,63	3,61 21,69	3,47 20,82	3,34 20,02
42 Vitesse	7,41 44,44	6,84 41,02	6,35 38,09	5,92 35,55	5,55 33,33	5,23 31,37	4,94 29,62	4,68 28,06	4,44 26,66	4,23 25,39	4,04 24,24	3,86 23,18	3,70 22,22	3,55 21,33	3,42 20,51
44 Vitesse	7,76 46,55	7,16 42,97	6,65 39,90	6,21 37,24	5,82 34,91	5,48 32,86	5,17 31,03	4,90 29,40	4,66 27,93	4,43 26,60	4,23 25,39	4,05 24,29	3,88 23,28	3,72 22,34	3,58 21,49
45 Vitesse	7,94 47,61	7,32 43,95	6,80 40,81	6,35 38,09	5,95 35,71	5,60 33,61	5,29 31,74	5,01 30,07	4,76 28,57	4,53 27,21	4,33 25,97	4,14 24,84	3,97 23,81	3,81 22,85	3,66 21,97
46 Vitesse	8,11 48,67	7,49 44,92	6,95 41,72	6,49 38,93	6,08 36,50	5,73 34,35	5,41 32,45	5,12 30,74	4,87 29,20	4,64 27,81	4,42 26,55	4,23 25,39	4,06 24,33	3,89 23,36	3,74 22,46
47 Vitesse	8,29 49,73	7,65 45,90	7,10 42,62	6,63 39,78	6,22 37,29	5,85 35,10	5,53 33,15	5,23 31,41	4,97 29,84	4,74 28,41	4,52 27,12	4,32 25,94	4,14 24,86	3,98 23,87	3,83 22,95
48 Vitesse	8,46 50,78	7,81 46,88	7,25 43,53	6,77 40,63	6,35 38,09	5,97 35,85	5,64 33,86	5,35 32,07	5,08 30,47	4,84 29,02	4,62 27,70	4,42 26,50	4,23 25,39	4,06 24,38	3,91 23,44
49 Vitesse	8,64 51,84	7,98 47,85	7,41 44,44	6,91 41,47	6,48 38,88	6,10 36,59	5,76 34,56	5,46 32,74	5,18 31,11	4,94 29,62	4,71 28,28	4,51 27,05	4,32 25,92	4,15 24,88	3,99 23,93
50 Vitesse	8,82 52,90	8,14 48,83	7,56 45,34	7,05 42,32	6,61 39,68	6,22 37,34	5,88 35,27	5,57 33,41	5,29 31,74	5,04 30,23	4,81 28,85	4,60 27,60	4,41 26,45	4,23 25,39	4,07 24,42
51 Vitesse	8,99 53,96	8,30 49,81	7,71 46,25	7,19 43,17	6,74 40,47	6,35 38,09	6,00 35,97	5,68 34,08	5,40 32,37	5,14 30,83	4,91 29,43	4,69 28,15	4,50 26,98	4,32 25,90	4,15 24,90
52 Vitesse	9,17 55,02	8,46 50,78	7,86 47,17	7,34 44,01	6,88 41,26	6,47 38,83	6,11 36,68	5,79 34,75	5,50 33,01	5,24 31,44	5,00 30,01	4,78 28,70	4,58 27,51	4,40 26,41	4,23 25,39
53 Vitesse	9,35 56,07	8,63 51,76	8,01 48,06	7,48 44,86	7,01 42,06	6,60 39,58	6,23 37,38	5,90 35,42	5,61 33,64	5,34 32,04	5,10 30,59	4,88 29,26	4,67 28,04	4,49 26,92	4,31 25,88
54 Vitesse	9,52 57,13	8,79 52,74	8,16 48,97	7,62 45,71	7,14 42,85	6,72 40,33	6,35 38,09	6,01 36,08	5,71 34,28	5,44 32,65	5,19 31,16	4,97 29,81	4,76 28,57	4,57 27,42	4,39 26,37
55 Vitesse	9,70 58,19	8,95 53,71	8,31 49,88	7,76 46,55	7,27 43,64	6,85 41,08	6,47 38,79	6,13 36,75	5,82 34,91	5,54 33,25	5,29 31,74	5,06 30,36	4,85 29,10	4,66 27,93	4,48 26,86